HISTORIA DE LOS
INVENTOS
¿CÓMO? ¿CUÁNDO? ¿POR QUÉ?

Autora: Louise Spilsbury
Asesor: Chris Cooper
Editora: Jane Yorke
Diseño: Chris Scollen y Macwiz

Copyright © de la edición original: Parragon Books Ltd (2007)

Copyright © de la edición en español (2008)
Parragon Books Ltd
Queen Street House
4 Queen Street
Bath BA1 1HE, Reino Unido

Traducción del inglés: Diego Riesco Méndez para LocTeam, Barcelona
Redacción y maquetación: LocTeam, Barcelona

ISBN 978-1-4075-6284-1

Impreso en Indonesia – Printed in Indonesia

HISTORIA DE LOS
INVENTOS
¿CÓMO? ¿CUÁNDO? ¿POR QUÉ?

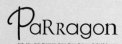

Bath · New York · Singapore · Hong Kong · Cologne · Delhi · Melbourne

ÍNDICE

LOS INVENTOS 8
¿Qué es un invento? 10
El futuro de los inventos 12

LA AGRICULTURA 14
Arados 16
Tractores 18
Ordeñadoras 20
Riego de cultivos 22
Productos químicos 24
Transgénicos 26
Conservación de alimentos 28

LA CONSTRUCCIÓN 30
Materiales 32
Máquinas 34
Rascacielos 36
Carreteras 38
Puentes 40
Canales 42

LA ENERGÍA 44
Energía del viento y el agua . 46
Combustibles fósiles 48
La fuerza del vapor 50
Electricidad 52
Energía nuclear 54

Energía solar 56
Energías renovables 58

LA FABRICACIÓN 60
Hilar y tejer 62
Objetos fabricados 64
Producción industrial 66

EL TRANSPORTE 68
Camiones y autobuses 70
Bicicletas 72
Coches 74
Trenes 76
Botes 78
Barcos 80
Globos y dirigibles 82
Helicópteros 84
Aviones 86

LA NAVEGACIÓN 88
Útiles de navegación 90
Radar 92
Sónar 94
Navegación por satélite 96

EL ESPACIO 98
Telescopios 100

Cohetes 102
Satélites 104
Naves................................. 106
Estaciones 108
Sondas espaciales 110

LAS ARMAS 112
Arcos y flechas 114
Fusiles 116
Armaduras 118
Bombas 120
Tanques 122
Aviones de guerra 124
Barcos 126
Submarinos 128

LA MEDICINA 130
Instrumentos médicos 132
Microscopios 134
Vacunas y antibióticos 136
Gafas 138

Vehículos de emergencia 140
Equipos sanitarios 142
Rayos X y escáneres 144
Cirugía 146

EL TIEMPO 148
Relojes de sol y de agua 150
Relojes 152
Relojes de pulsera 154
Relojes digitales 156

LA VIDA COTIDIANA 158
Higiene 160
Calefacción 162
Lavadoras 164
Hornos y frigoríficos 166
Electrodomésticos 168
Dinero 170
Compras 172
Indumentaria 174

LAS COMUNICACIONES 176
Papel y pluma 178
La impresión 180
Teléfonos 182
Radio 184
Ordenadores 186
Correo 188
Internet 190

EL OCIO 192
Instrumentos musicales 194
Reproductores 196
Cámaras 198
Cine 200
Televisión 202
Vídeo y DVD 204
Juguetes y juegos 206

Grandes inventores 208
Índice alfabético 218
Créditos de las fotografías ... 224

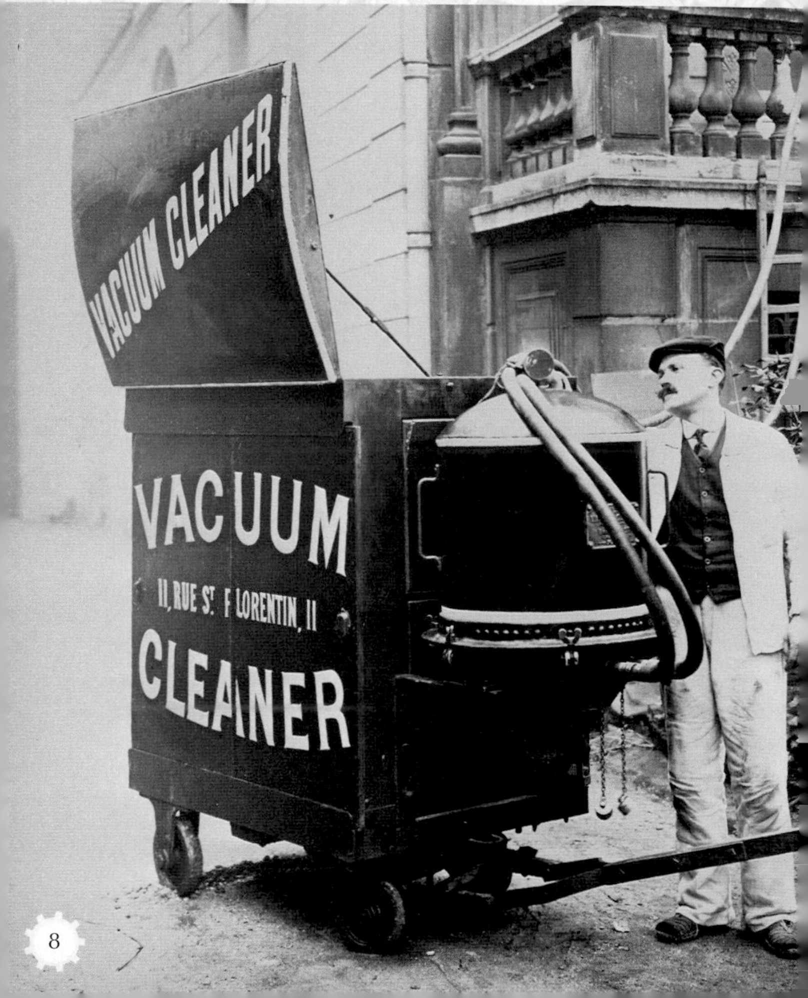
VACUUM CLEANER
VACUUM
11, RUE St. FLORENTIN, 11
CLEANER

LOS INVENTOS

Nuestra vida sería más difícil y probablemente menos divertida sin los inventos. Descubre qué es un invento, por qué se inventan las cosas y de cuándo datan la mayoría de los inventos. Aprende qué es una patente y por qué unas funcionaron y otras no. Descubre cómo, en el futuro, los inventos pueden cambiar nuestra vida.

¿QUÉ ES UN INVENTO?

¿Qué es un invento?

Un invento es algo nuevo. Puede ser un objeto, como un muelle, un material, como el nailon, o un proceso, como la congelación. Cuando se descubre algo, hace falta un invento para que sea útil. El fuego se descubrió hace más de un millón de años, cuando los rayos provocaban incendios. Pero no pudo controlarse hasta que se inventó una forma de prenderlo, frotando palos o golpeando piedras. Las cerillas no se inventaron hasta el año 577, en China.

Todo lo que se inventa tiene su inventor, la persona a la que se le ocurrió la idea por primera vez.

tirachinas

trampa para ratones

El Slinky se inventó en 1945

ABAJO Las primeras aspiradoras eran tan grandes que se alquilaban de puerta en puerta.

VACUUM CLEANER

VACUUM

CLEANER

¿Por qué se inventan las cosas?

Normalmente, las cosas se inventan para hacer la vida más fácil. Los electrodomésticos, como la aspiradora, han revolucionado las tareas domésticas. La mayoría de los inventos surgen de ideas anteriores. Por ejemplo, en 250 a. C. un inventor griego llamado Arquímedes explicó cómo funcionaba una palanca, lo que originó muchos inventos, como las tijeras, el cascanueces o las pinzas. A veces, un invento es una mejora de otro anterior, como la aspiradora. Otros inventos son casuales. El Slinky se inventó cuando unos muelles se cayeron de una mesa de trabajo. La boligoma se inventó cuando alguien intentaba crear un material para sustituir a la goma. Y el teflón, un material antiadherente con el que se recubren las sartenes, se debió a un error de su inventor, el científico Roy Plunkett.

¿Cuándo se inventaron más cosas?

A veces alguien tiene una buena idea, pero no dispone de los materiales o la tecnología para ponerla en práctica. En los últimos 250 años, el descubrimiento de la electricidad, nuevos productos químicos y los avances en microbiología han favorecido un montón de inventos. Empresas, universidades y gobiernos tienen laboratorios de investigación para desarrollarlos.

DERECHA Leonardo da Vinci ideó un submarino en el siglo XV, 400 años antes de que el primer submarino fuera a la guerra.

ARRIBA Albert Einstein no inventó nada, pero hizo grandes descubrimientos científicos que posibilitaron muchos inventos modernos, como la energía nuclear, el láser y los microchips.

¿Qué es una patente?

Una patente es una forma que tienen los inventores de proteger sus ideas. Cuando un inventor tiene una idea, el Gobierno le concede una patente. Esa patente proporciona al inventor el derecho a impedir que otros fabriquen, utilicen o vendan el invento durante un tiempo determinado sin su permiso. Se patentan muchos inventos que no alcanzan el éxito. La marca registrada también protege el nombre del invento. La marca registrada indica el origen de un producto o servicio y ofrece información sobre su calidad y uniformidad. Se han encontrado marcas registradas en cerámica de hacia el año 5000 a. C.

DERECHA El inventor Dean Kamem patentó el medio de transporte humano Segway en 1999. Quién sabe si el nombre de este invento se convertirá en algo común.

EL FUTURO DE LOS INVENTOS

Todo lo que nos rodea –zapatos, sillas, el cristal de las ventanas, los balones de fútbol, incluso este libro– se inventó en el pasado. Los inventos de estas páginas son sólo ejemplos de los que podremos ver en el futuro. Por muy extraños e increíbles que parezcan, recuerda que eso es lo que se pensaba antiguamente de ideas como el automóvil o el avión, que ahora nos parecen normales.

¿Qué conduciremos en el futuro?

En el futuro, nosotros no conduciremos: lo harán los ordenadores. Coches y carreteras informatizados se encargarán de ello mientras dormimos o leemos. Cámaras a bordo verán las rayas blancas y mantendrán los vehículos en su carril, y los ordenadores, mediante rayos láser, ultrasonidos o radar, medirán las distancias para aparcar. Al final del trayecto, el aparcamiento automático llevará los vehículos a sus plazas y los devolverá cuando vuelva el cliente.

ARRIBA Cámaras colocadas en el salpicadero de un coche interactivo informan de las señales y las ma viales al ordenador de a bordo.

¿Cómo nos harán mejores los robots?

En el futuro, los científicos esperan poder construir máquinas microscópicas, de milésimas de milímetro. Esos nanobots viajarán por el cuerpo humano para mejorar nuestra salud. Los médicos dicen que, gracias a la nanotecnología, habrá máquinas que vayan por los vasos sanguíneos, como minirrobots médicos, para limpiarlos o para destruir células cancerígenas

IZQUIERDA Un nanobot busca células cancerígenas en la sangre.

¿Haremos las labores domésticas?

En el hogar del futuro, las tareas domésticas pasarán a la historia. Los electrodomésticos, como el horno y el frigorífico, estarán equipados con sensores y microchips y conectados mediante redes informáticas. El horno se encenderá automáticamente y el frigorífico avisará si un alimento está a punto de caducar. Podremos programar nuestras casas con un mando a distancia e incluso desde el teléfono móvil.

¿Iremos de vacaciones al espacio?

¿Quién sabe? Tal vez dentro de 50 años exista una autopista al espacio que nos permita viajar, e incluso trabajar y vivir allí. Quizá, en el futuro, el transporte espacial esté conectado con los aeropuertos internacionales y veamos despegar el avión a Nueva York de la misma pista que otro que va a la Luna.

ARRIBA El robot Wakamaru, creado por Mitsubishi, es un compañero capaz de mantener una conversación y de comunicar a un centro de control cualquier problema en la casa. Salió a la venta en 2005.

IZQUIERDA La NASA está trabajando en una aeronave que revolucionará los viajes espaciales.

13

LA AGRICULTURA

Desde el arado de piedra hasta la cosechadora trilladora, los inventos nos han ayudado a cultivar y preparar alimentos. Averigua cómo funcionan las ordeñadoras y qué sistemas de irrigación utilizan los granjeros para regar sus campos. Aprende por qué el enlatado y la congelación conservan los alimentos y cómo los insecticidas acaban con las plagas. Descubre qué son los alimentos transgénicos y por qué algún día comeremos zanahorias moradas.

HITOS DE LA AGRICULTURA

6000 a. C.	3500 a. C.	2500 a. C.	260 a. C.	1810 d. C.
Primeros aperos	Se inventa el arado	Cigoñal para sacar	Riego con tornillo	Se inventan las
de piedra	tirado por bueyes	agua de pozos	de Arquímedes	latas de conserva

ARADOS

¿Cuáles fueron los primeros aperos?

En torno al 6000 a. C., los granjeros de
Oriente Medio inventaron una sencilla
herramienta, la azada de piedra, para
cavar el suelo. Tenía un mango de
madera atado a una piedra afilada.
Las primeras hoces eran de sílex, que
se podía ir quebrando para obtener
un borde afilado con el que cortar
espigas, como las de trigo.

azada

hoz

¿Por qué se inventó el arado?

Los agricultores pronto vieron que las semillas crecían
mejor en tierra desmenuzada, pero era duro cavar los
campos con herramientas de mano. Así, hacia el año
5000 a. C., los granjeros inventaron el arado. Ellos mismos
tiraban de los primeros, sencillas estructuras de madera
sujetas a un palo vertical que se arrastraban por el suelo
para hacer pequeñas zanjas o surcos en el terreno.

¿SABÍAS QUE...?
Los primeros que pusieron bueyes
a tirar del arado fueron los sumerios, en
Mesopotamia, hace más de 5.000 años. La fuerza
de tiro de los animales asumió el duro trabajo de arar.

16

ABAJO El arado de acero de John Deere lo arrastraba un caballo.

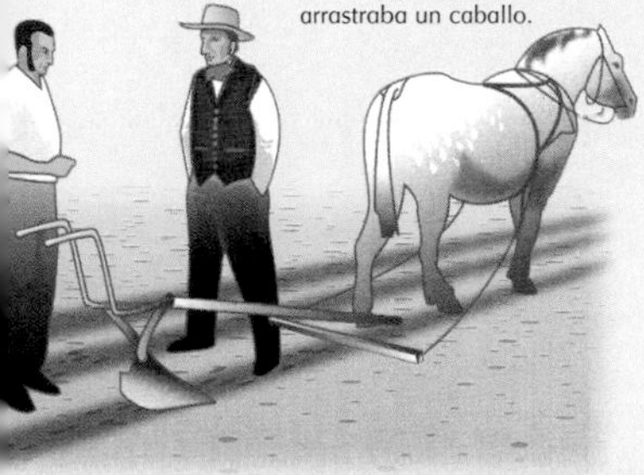

¿Cuándo nace el de hierro?

El problema de los arados de madera era que se gastaban con rapidez. Hace unos 3.000 años se descubrió cómo fabricar herramientas de hierro. En torno al 900 a. C., los granjeros empezaron a fabricar afiladas y resistentes puntas de hierro para sus arados. En 1838, John Deere, un herrero americano, inventó el arado de acero colado.

¿Cómo funciona el arado?

Los arados modernos tienen unas palas curvadas que excavan un surco removiendo el terreno, entierran las semillas y dejan el suelo ahuecado. Cuando el tractor da la vuelta, se gira el arado para utilizar las cuchillas y palas curvadas que estaban en reposo hacia el otro lado.

ABAJO Una cuchilla afilada rompe el terreno para que las palas puedan penetrar y removerlo.

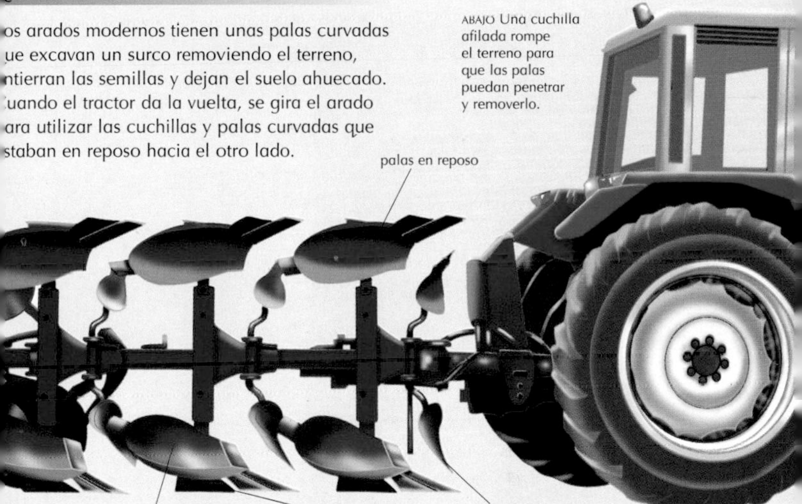

palas en reposo

pala   reja   cuchilla

17

HITOS DE LA AGRICULTURA

6000 a. C.	3500 a. C.	2500 a. C.	260 a. C.	1810 d. C.
Primeros aperos de piedra	Se inventa el arado tirado por bueyes	Cigoñal para sacar agua de pozos	Riego con tornillo de Arquímedes	Se inventan las latas de conserva

TRACTORES

ABAJO un motor de tracción a vapor

¿Cuándo se inventó el tractor?

En el siglo XIX se empezó a utilizar el motor de tracción para accionar la maquinaria agrícola. Esos motores a vapor hacían el trabajo de personas o animales. Sin embargo, los antiguos motores de tracción eran caros y demasiado pesados como para tirar de los aperos sobre suelo blando. En 1892 el estadounidense John Froehlich construyó el primer tractor práctico con motor de gasolina.

Los neumáticos con surcos ofrecen agarre sobre terreno desigual.

IZQUIERDA Un tractor abier segando her

¿Para qué se usan los tractores?

Los potentes tractores modernos son cómodos y pueden arrastrar remolques muy cargados y accionar diferentes tipos de maquinaria agrícola. Llevan arados, enormes rastrillos para limpiar el terreno y sembradoras para plantar las semillas en surcos rectos. Los tractores facilitan mucho el trabajo a los agricultores.

La maquinaria agrícola se conecta al tractor con el enganche tripuntal.

¿Quién inventó la trilladora?

A principios del siglo XX ya se cosechaban con tractores cereales como el trigo. Pero se necesitaban máquinas trilladoras para separar el grano de la paja. En 1938 Massey-Harris, una empresa canadiense, vendió por vez primera su cosechadora trilladora. La máquina tenía un motor que le permitía moverse por sí misma y podía segar y trillar el cereal, lo que permitía cosechar grandes plantaciones en menos tiempo.

ABAJO Las potentes cuchillas de una cosechadora trilladora siegan anchas franjas de cereal.

El potente motor arrastra pesadas cargas y acciona la maquinaria agrícola.

¿Por qué son tan grandes las ruedas?

La mayoría de los tractores tienen dos ruedas pequeñas delante y dos grandes detrás, las motrices, accionadas por el motor. Los primeros tractores llevaban ruedas de metal pero hacia 1930 se inventaron los neumáticos, que les permitían circular por terrenos blandos y contribuían a repartir el peso del vehículo y evitar que se hundiera.

¿SABÍAS QUE...?
Algunos tractores no tienen neumáticos, sino unas orugas de goma muy estriadas que ofrecen mejor agarre sobre terreno blando y desigual.

a cabina de vidrio rmite ver al conductor entras maneja aperos.

Como los dos ejes giran de forma independiente, el tractor puede maniobrar en muy poco espacio.

19

HITOS DE LA AGRICULTURA

| 6000 a. C. | 3500 a. C. | 2500 a. C. | 260 a. C. | 1810 d. C. |
| Primeros aperos de piedra | Se inventa el arado tirado por bueyes | Cigoñal para sacar agua de pozos | Riego con tornillo de Arquímedes | Se inventan las latas de conserva |

ORDEÑADORAS

¿Cuándo se inventó la ordeñadora?

Ordeñar a mano un rebaño de vacas era tarea ardu
hasta que el ingeniero estadounidense L. O. Col
patentó su ordeñadora, en 1860. El granjero
colocó vasos de goma en las ubres de la
vaca y después accionó unas bombas
que extraían la leche y la llevaban por
un conducto hasta un cubo. Pero la
máquina no paraba de succionar,
lo que hería las ubres de la vaca.

¿Cómo funcionan las ordeñadoras?

Las modernas granjas lecheras tienen
ordeñadoras automáticas capaces de
ordeñar un rebaño de 100 vacas en
un par de horas. En la sala de ordeño,
el granjero primero lava las cuatro
ubres de la vaca y después les coloca
las pezoneras. La bomba de vacío del
aparato succiona suavemente las ubres
por pulsos, para extraer la leche igual
que lo hace un ternero.

Se coloca una pezonera
en cada ubre de la vaca.

DERECHA La leche circula por tubos
hasta unos recipientes, donde se mide.
Después, se bombea a un gran depósito
de refrigeración y allí se almacena
hasta que un camión cisterna la recoge
y la lleva a la central lechera.

¿Quién inventó el queso?

Hace más de 5.000 años que, con la leche, se fabrica queso. Es probable que quienes inventaran el queso fueran los nómadas de Oriente Próximo, que viajaban con sus cabras y ovejas en busca de pastos frescos. Se dice que un nómada llenó de leche una bolsa hecha con el estómago de una oveja. Con el calor del sol, la leche se mezcló con el cuajo del estómago del animal y formó coágulos: el primer queso.

ABAJO Cuando la leche se calienta y se mezcla con cuajo, se separan el coágulo y el suero.

El coágulo se corta y se mezcla con sal para hacer el queso.

El suero se extrae.

Estos recipientes registran cuánta leche produce cada vaca.

¿Qué es la leche pasteurizada?

La pasteurización consiste en calentar los alimentos para destruir las bacterias nocivas que contienen. El proceso recibe el nombre de su inventor, el químico francés Louis Pasteur, que lo probó con la leche por primera vez en 1862. La mayor parte de la leche se pasteuriza calentándola un instante a 72 °C. Así se destruyen las bacterias, lo que permite conservarla más tiempo.

¿SABÍAS QUE...?
Las salas de ordeño robotizadas permiten ordeñar las vacas en cualquier momento. Un ordenador suelta las pezoneras de las ubres de la vaca cuando están vacías.

| 6000 a. C. Primeros aperos de piedra | 3500 a. C. Se inventa el arado tirado por bueyes | 2500 a. C. Cigoñal para sacar agua de pozos | 260 a. C. Riego con tornillo de Arquímedes | 1810 d. C. Se inventan las latas de conserva |

RIEGO DE CULTIVOS

¿Por qué se riegan los campos?

Las plantas, como todos los seres vivos, necesitan agua. En lugares muy lluviosos, los campos reciben de forma natural el agua que necesitan. En regiones más secas, o durante temporadas de poca lluvia, muchos cultivos sólo prosperan si se riegan. Los diferentes métodos con los que se riegan los cultivos se conocen como sistemas de irrigación.

¿SABÍAS QUE...?
Algunos agricultores comprueban la humedad del suelo mediante un sistema informático de sensores. Después, si es necesario y con sólo pulsar unos botones, riegan sus cultivos por goteo.

¿Cuándo se inventó el cigoñal?

El cigoñal es un aparato sencillo que se inventó en el antiguo Egipto en torno al año 2500 a. C. En la actualidad aún se utiliza para sacar agua de los ríos. El cigoñal consta de un largo listón sujeto a un pivote. En un extremo del listón cuelga un cubo y en el otro hay una piedra que funciona como contrapeso. Primero, el cubo se sumerge en el río y se llena de agua. Después, el peso de la roca eleva la carga fácilmente.

El agua se vierte en zanjas que la conducen a los campos cercanos.

contrapeso de piedra

cubo lleno

pivote

860	1892	1922	1939	1994
e usa la primera	Primer tractor con	Se desarrolla	Se inventa el primer	Se inventan los
rdeñadora	motor de gasolina	la congelación	insecticida artificial	transgénicos

¿Qué es el tornillo de Arquímedes?

El tornillo de Arquímedes es un antiguo aparato de bombeo que aún se utiliza en algunas regiones para regar. El primero que lo describió fue el ingeniero griego Arquímedes, hacia el 260 a. C. La máquina consta de un tubo hueco con un tornillo en su interior. Un extremo del aparato se sumerge en el agua y, al girar el tornillo, el agua sube por el tubo y cae en un canal de riego.

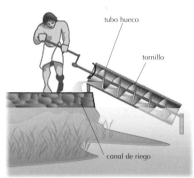

tubo hueco

tornillo

canal de riego

BAJO Este campo circular se riega con un brazo de aspersores sobre ruedas que gira como una manecilla de reloj.

¿Cómo se riega en la actualidad?

Muchos agricultores utilizan un sistema de bombas eléctricas, tuberías y aspersores para regar sus cultivos con el agua de ríos y embalses. En el riego por pivote, la presión del agua o un motor mueven un brazo de aspersores que riegan el campo. Pero, al sol, el agua se evapora con rapidez. En el riego por goteo se extienden por encima o por debajo del suelo unos tubos de goma que llevan el agua a las raíces de las plantas.

HITOS DE LA AGRICULTURA

| 6000 a. C.
Primeros aperos
de piedra | 3500 a. C.
Se inventa el arado
tirado por bueyes | 2500 a. C.
Cigoñal para sacar
agua de pozos | 260 a. C.
Riego con tornillo
de Arquímedes | 1810 d. C.
Se inventan las
latas de conserva |

PRODUCTOS QUÍMICOS

¿Por qué usar productos químicos?

Muchos agricultores utilizan pesticidas
y fertilizantes químicos para aumentar
el rendimiento de sus tierras. Los
fertilizantes aportan nutrientes al suelo y
ayudan a las plantas a crecer y a producir
más hojas o frutos. Los pesticidas incluyen
insecticidas que erradican las plagas de
insectos, herbicidas que matan las malas
hierbas y fungicidas que evitan plagas
de hongos.

ARRIBA Los agricultores alquilan
avionetas «fumigadoras» para
rociar con pesticidas grandes
campos. Al hacerlo así, el
operario no se ve afectado por
los productos químicos.

ABAJO Para rociar herbicidas
a mano, los agricultores se
visten con ropas protectoras.

¿Cuál fue el primer insecticida?

Los insecticidas son productos que
sirven para repeler o matar las plagas
de insectos que se comen los cultivos.
Ya en la antigüedad se procuraba acabar
con los insectos, con sustancias naturales.
Entre esos insecticidas ancestrales están la
sal, el tabaco, el pimiento rojo y el arsénico.
En 1939 Paul Müller, químico suizo, descubrió
que un producto llamado DDT era un buen
insecticida. Desde entonces se han inventado y
vendido muchos insecticidas químicos.

IZQUIERDA Unos insectos se
comen las hojas de las plantas,
otros se alimentan de las raíces
o succionan la savia de los tallos.

¿Son nocivos los productos químicos?

En ciertas regiones se utilizan grandes cantidades de productos químicos, lo que no es bueno para el medio ambiente. Algunos de esos pesticidas y fertilizantes acaban con plantas y animales inofensivos, como flores silvestres o mariposas. También penetran en el suelo, llegan a los ríos y los contaminan. Además, los restos que quedan en las frutas y hortalizas son nocivos si se ingieren en gran cantidad.

Las boquillas de la parte inferior de la avioneta rocían una cantidad uniforme del producto.

¿SABÍAS QUE...?
Ya en el año 4500 a. C. los agricultores de Mesopotamia quemaban azufre de los volcanes porque el olor acre alejaba a los insectos de sus cultivos.

¿Cómo cultivan los agricultores ecológicos?

ABAJO Los agricultores vigilan sus campos en busca de señales de daños producidos por plagas.

Los agricultores ecológicos cultivan sin productos químicos artificiales. Como fertilizante utilizan compost y estiércol de animales de granja. Además, permiten que crezcan flores silvestres en sus campos porque atraen a insectos útiles que se alimentan de los bichos que destruyen los cultivos. Los agricultores ecológicos también evitan las plagas sembrando plantas olorosas, como el ajo, o rociando insecticidas naturales, como el aceite amargo del árbol de nim.

25

HITOS DE LA AGRICULTURA

| 6000 a. C. Primeros aperos de piedra | 3500 a. C. Se inventa el arado tirado por bueyes | 2500 a. C. Cigoñal para sacar agua de pozos | 260 a. C. Riego con tornillo de Arquímedes | 1810 d. C. Se inventan las latas de conserva |

TRANSGÉNICOS

¿Qué es la comida transgénica?

Los alimentos transgénicos proceden de plantas o animales cuyos genes han sido alterados por científicos. Los genes son instrucciones químicas que se encuentran en todas las células vivas que conforman las plantas y los animales. Al eliminar o añadir genes, los científicos modifican las plantas para obtener productos que se conservan más tiempo frescos o que son más resistentes a los pesticidas o a la sequía.

IZQUIERDA Los melocotones transgénicos resisten las enfermedades.

ABAJO Algunos girasol[...] transgénicos produc[...] un aceite m[...] saludab[...]

¿Cuándo se inventaron?

La primera planta transgénica se puso a la venta en 1994. El tomate Flavr Savr contenía un gen alterado que lo mantenía más tiempo fresco. La mayor parte de los tomates se recogen verdes y maduran después. Los tomates modificados se recogen rojos y no se ponen blandos durante su transporte. Saben mejor que los convencionales porque maduran en la planta.

360	1892	1922	1939	1994
usa la primera	Primer tractor con	Se desarrolla	Se inventa el primer	Se inventan los
deñadora	motor de gasolina	la congelación	insecticida artificial	transgénicos

¿Cómo se modifican los genes?

Los científicos introducen genes nuevos en las células de la planta con una pistola especial. Después, las células se colocan en un líquido que las ayuda a convertirse en plantas. También inoculan genes en bacterias que infectan las células de la planta y modifican sus genes. Así se inoculó el gen resistente a la congelación de un pez en un tomate. El resultado fue un tomate al que no afectaba el frío.

IZQUIERDA Los científicos realizan experimentos cultivando plantas modificadas en invernaderos.

Los detractores de los productos transgénicos afirman que no son seguros y temen que se crucen con los cultivos normales de los campos cercanos.

ABAJO Los herbicidas no afectan al trigo transgénico.

¿Quién sabe si es segura?

Algunas personas temen que la modificación genética sea perjudicial para la salud. Dicen que los científicos no comprenden bien el funcionamiento de los genes y que alterarlos puede producir alimentos nocivos o causar alergias. Los partidarios de la modificación genética aseguran que nadie ha enfermado por comer estos alimentos y que son necesarios para producir suficiente comida para todo el mundo.

27

HITOS DE LA AGRICULTURA

| 6000 a. C. | 3500 a. C. | 2500 a. C. | 260 a. C. | 1810 d. C. |
| Primeros aperos de piedra | Se inventa el arado tirado por bueyes | Cigoñal para sacar agua de pozos | Riego con tornillo de Arquímedes | Se inventan las latas de conserva |

CONSERVACIÓN DE ALIMENTOS

¿Por qué se conservan los alimentos?

Las bacterias del aire se alimentan de los productos frescos, como frutas y verduras, lo que hace que se estropeen rápidamente. Se descubrió que introducir en tarros cerrados los alimentos frescos cubiertos de aceite o vinagre evitaba que las bacterias los estropeasen. Así, mucho antes de que se inventaran el enlatado y la congelación ya era posible disfrutar de alimentos estivales durante los fríos meses del invierno.

ARRIBA La fruta, como estos melocotones, se conserva en almíbar y se guarda en tarros herméticos.

ABAJO El pescado fresco se captura, prepara, envasa y congela en alta mar en grandes barcos.

puente

zona de carga

Los peces quedan atrapados en una gran red y se izan a bordo.

Una máquina limpia los pescados y los corta en filetes.

Los filetes se clasifican, envasan y congelan rápidamente en grandes congeladores pocas horas después de la captura.

¿Cómo se congelan los alimentos?

El proceso consiste en someter los alimentos a la acción de un chorro de aire frío, que convierte toda el agua que contienen en cristales de hielo. Las bajas temperaturas impiden que se desarrollen las bacterias. Muchos alimentos se calientan un instante antes de congelarlos para detener la actividad natural de las enzimas, que pueden alterar su aspecto y sabor.

...60	1892	1922	1939	1994
usa la primera	Primer tractor con	Se desarrolla	Se inventa el primer	Se inventan los
...deñadora	motor de gasolina	la congelación	insecticida artificial	transgénicos

¿SABÍAS QUE...?

Pasar los alimentos por rayos X elimina los gérmenes. Los astronautas comen alimentos tratados con irradiación para evitar ponerse enfermos en el espacio.

Los restos de pescado se convierten en pienso para animales.

ABAJO En 1922 se puso en venta por primera vez pescado congelado. Se había congelado con el proceso desarrollado por el estadounidense Clarence Birdseye.

¿Quién inventó las latas?

El inglés Peter Durand inventó las latas metálicas para conservar alimentos en 1810. Descubrió que, si bien la comida calentada en una lata hermética se conservaba más tiempo, el acero de la lata se oxidaba y la echaba a perder. Durand solucionó el problema recubriendo las latas con estaño, que no se oxida. La comida enlatada se hizo muy popular entre soldados y marinos en sus largos viajes.

ABAJO Los primeros abrelatas perforaban la lata y la abrían con una cuchilla.

¿Cuándo se inventó el abrelatas?

Las primeras latas eran tan recias que se tenían que abrir con cincel y martillo. Casi 50 años después, en 1858, cuando se empezaron a fabricar con láminas más delgadas de metal, el estadounidense Ezra Warner inventó el abrelatas. Tenía una cuchilla afilada que se clavaba en la tapa de la lata para cortarla alrededor del borde.

LA CONSTRUCCIÓN

Máquinas modernas como excavadoras y
buldóceres gigantes permiten construir casas,
carreteras, puentes y rascacielos. Descubre los
sencillos y pequeños instrumentos que ayudaron
a los antiguos egipcios a construir sus pirámides y
por qué se sigue edificando con ladrillos cocidos.
Conoce los gigantescos armazones de acero que
sostienen los rascacielos más altos del mundo.
Aprende cómo se hace el vidrio y qué es un enlace
de carreteras a varios niveles.

HITOS DE LA CONSTRUCCIÓN

| 4000 a. C. Primeros canales | 3500 a. C. Primeros ladrillos de arcilla cocida | 2000 a. C. Puentes de losas para cruzar ríos | 700 a. C. Construcción del primer acueducto | 100 d. C. Construcción con máquinas elevadoras |

MATERIALES

ABAJO Los zigurats son unos templos que se construían en forma de pirámide escalonada.

¿Quién inventó el ladrillo?

Los pueblos prehistóricos hicieron los primeros ladrillos formando bloques con barro y paja mezclados y secándolos al sol, lo que los convierte en el material de construcción más antiguo.
Los primeros ladrillos de arcilla cocida se hicieron en Mesopotamia en 3500 a. C. y con ellos se construyeron las primeras ciudades y zigurats. En la actualidad aún se utilizan ladrillos de arcilla.

IZQUIERDA El camión hormigonera lleva el hormigón en la cuba, que no deja de dar vueltas para que el material no fragüe.

¿Por qué se inventó el hormigón?

El hormigón soporta grandes pesos. En 1756 el ingeniero británico John Smeaton hizo el primer hormigón moderno mezclando grava y ladrillo en polvo con cemento y agua. El hormigón húmedo se vierte en un molde y se deja secar. Es un sólido material de construcción, pero se agrieta si se curva. Después de 1867 se colocaron barras de acero dentro del hormigón para reforzarlo.

¿SABÍAS QUE...?
Los masai construyen sus chozas tradicionales con ramitas, hierba, estiércol de vaca y orina. Cuando se seca, esa mezcla es tan sólida como el cemento.

¿Cuándo nació la ventana de cristal?

El cristal se inventó alrededor del 3000 a. C. calentando arena, cal y carbonato de sodio en un horno. Durante siglos el vidrio fundido se moldeó y endureció por enfriamiento para hacer pequeños objetos, como botellas. Las primeras ventanas de vidrio laminado datan del siglo XII, pero los cristales eran pequeños y opacos. En el siglo XIX las fábricas producían láminas transparentes de vidrio pulido.

IRRIRA Hoy día el vidrio se fabrica extendiendo vidrio ndido sobre una capa de estaño fundido, proceso que ventó el inglés Alastair Pilkington.

ABAJO Vigas y pilares de acero se ensamblan para formar la estructura de un gran edificio.

Cómo se construye con acero?

a estructura de muchos edificios es de acero, también lo son los tornillos, barras, planchas, avos y tubos que intervienen en su onstrucción. El acero fundido uede adoptar cualquier rma y, por su resistencia, un metal ideal para la onstrucción.

33

HITOS DE LA CONSTRUCCIÓN

| 4000 a. C. Primeros canales | 3500 a. C. Primeros ladrillos de arcilla cocida | 2000 a. C. Puentes de losas para cruzar ríos | 700 a. C. Construcción del primer acueducto | 100 d. C. Construcción con máquinas elevadoras |

MÁQUINAS

¿Qué utilizaban para construir?

Las pirámides de Egipto son probablemente los edificios más famosos de la historia, y se pudieron construir gracias a unos inventos sencillos pero importantes. En 3000 a. C. los constructores egipcios inventaron la plomada, una pesa atada al extremo de un cordel. Así sabían que, si sus paredes se alineaban con el cordel, eran perfectamente verticales. En 2600 a. C. los arquitectos egipcios idearon un triángulo que les permitía construir las esquinas en ángulo recto.

¿SABÍAS QUE…?
El Eurotúnel, que pasa bajo el Canal de la Mancha y une Inglaterra y Francia, se excavó con enormes tuneladoras. Es un túnel ferroviario de más de 50 km y se acabó en 1994.

ARRIBA, IZQUIERDA Plomada con pesa de caliza

IZQUIERDA Triángulo de bronce

brazo de grúa con cables y ganchos para levantar cargas

contrapeso de bloques de hormigón

¿Cuándo se inventó la grúa?

Hacia el año 100 a. C. los romanos tenían máquinas elevadoras accionadas por obreros que tiraban de cuerdas. Las grúas modernas constan de una torre y un brazo horizontal en la parte superior. Por el extremo largo se suben y bajan los materiales mediante un sistema de cable sujeto a juegos de poleas. En el otro hay un contrapeso que equilibra la carga e impide que la grúa se caiga.

IZQUIERDA Las grúas grandes, como esta, se tienen que anclar en el suelo.

34

756	1869	1885	1923	1932
e inventa	Primer canal	Primer rascacielos	Se fabrica el primer	Se inaugura la
l hormigón	navegable	de diez plantas	buldócer	primera autopista

¿Cómo funciona una excavadora?

as excavadoras son potentes máquinas para abrir
agujeros y zanjas en obras de construcción y para
ransportar escombros en canteras y minas. La
etroexcavadora tiene tres palancas (brazo, pluma
y cangilón) que suben, bajan y se inclinan para
excavar o elevar cargas. Las palancas
e mueven mediante émbolos
idráulicos, unos pistones
que un líquido a presión
esplaza dentro de
unos cilindros.

ABAJO El enorme brazo de esta
retroexcavadora minera está
fijado a la cabina del operario
y puede girar 360°.

pluma

pistón hidráulico

brazo

cabina

volquete gigante

cangilón

¿Cuándo se inventó el buldócer?

Los primeros buldóceres eran tractores agrícolas
adaptados. Una gran plancha metálica llamada
cuchilla se fijaba delante del tractor para empujar
os escombros en las obras. Al avanzar el vehículo,
a cuchilla recogía la tierra y las rocas del
uelo y las agrupaba en montones. Hacia
a 1920 se fabricaban ya buldóceres
con orugas y palas curvas con
dientes cortantes.

cabina

cuchilla

Las orugas permiten
al buldócer circular
por terreno desigual.

35

HITOS DE LA CONSTRUCCIÓN

| 4000 a. C. Primeros canales | 3500 a. C. Primeros ladrillos de arcilla cocida | 2000 a. C. Puentes de losas para cruzar ríos | 700 a. C. Construcción del primer acueducto | 100 d. C. Construcción con máquinas elevadoras |

RASCACIELOS

¿Cuándo se inventó el rascacielos?

En 1885, un edificio de oficinas de diez plantas construido en Chicago se convirtió en el primer rascacielos. El arquitecto estadounidense William le Baron Jenney tomó la idea de un viaje al sudeste asiático, donde vio casas hechas de estera de juncos sujeta a una estructura de troncos de árbol, y diseñó un edificio con un armazón metálico para sostener suelos y paredes. Este tipo de edificio alto pronto se llamó rascacielos.

ARRIBA El edificio Home Insurance de Chicago, diseñado por Jenney.

IZQUIERDA El famoso Empire State de Nueva York fue el edificio más alto del mundo cuando se construyó, en 1931.

El peso del rascacielos reposa en numerosas columnas verticales de acero ancladas en el suelo.

¿Cómo se construyen?

En un edificio de piedra o ladrillo, los muros del piso inferior tienen que sostener el peso del resto de la estructura; así, ni siquiera muros muy gruesos resistirían el peso de un edificio de cinco plantas. Los rascacielos tienen una estructura de acero muy sólida, a modo de esqueleto, que sustenta el peso del edificio. Las paredes recubren la estructura o cuelgan de ella.

Cada piso está formado por vigas de acero tendidas en horizontal entre las columnas.

¿SABÍAS QUE…?
Los rascacielos modernos están hechos con vidrio autolimpiable, así que no hay que limpiarlos. El vidrio tiene un recubrimiento que evita que se adhiera la suciedad.

¿Cuál es el edificio más alto?

El Taipei 101 de Taiwán es hoy el edificio más alto del mundo. Este rascacielos, finalizado en 2004, tiene 508 metros de altura y ostenta el récord de 101 plantas. El rascacielos está especialmente reforzado para resistir terremotos, tifones y tornados.

DERECHA El Taipei 101 tiene los ascensores más rápidos del mundo: viajan a una velocidad de 60 km/hora y permiten a sus pasajeros llegar a la última planta en sólo 30 segundos.

La capa externa de vidrio y hormigón suele llamarse muro cortina, pues está colgada del armazón.

¿Quién inventó los ascensores?

Un estadounidense, Elisha Graves Otis, construyó el primer ascensor en 1857 para unos grandes almacenes neoyorquinos. En 1903 lu compañía Otis fabricó un ascensor que convirtió los edificios altos en una posibilidad práctica: cuando los pasajeros entraban en el ascensor, un sistema de poleas lo subía por un pozo del edificio. Los cables de acero se enrollaban en una rueda accionada por un motor.

rueda motorizada — cables

ascensor

contrapeso

IZQUIERDA Los cables están sujetos a un contrapeso que equilibra la carga.

37

HITOS DE LA CONSTRUCCIÓN

| 4000 a. C. Primeros canales | 3500 a. C. Primeros ladrillos de arcilla cocida | 2000 a. C. Puentes de losas para cruzar ríos | 700 a. C. Construcción del primer acueducto | 100 d. C. Construcción con máquinas elevadoras |

CARRETERAS

ABAJO Las calzadas romanas estaban formadas por capas.

losas de piedra

zanja de drenaje

guijarros y grava

piedras y cemento

arena

¿Cuáles fueron las primeras carreteras?

Muchas civilizaciones antiguas, como la china y la maya, construyeron carreteras y caminos pavimentados. Pero los mayores constructores de calzadas fueron los romanos. Desde el 400 a. C., construyeron una red de amplias carreteras pavimentadas para que sus ejércitos circularan por el Imperio. A finales del siglo XIX, con la llegada del automóvil, hubo que mejorar la superficie de rodadura. En 1902, en Inglaterra, Edgar Purnell Hooley inventó el asfalto, una mezcla de alquitrán y piedras que ofrecía una superficie lisa.

¿Cómo se construyen?

Para construir carreteras se necesitan potentes máquinas. Primero, excavadoras y buldóceres limpian el lugar de rocas y tierra. Las niveladoras igualan el terreno y los volquetes se llevan los escombros. Las aplanadoras alisan una capa de roca machacada antes de que las pavimentadoras apliquen una capa de asfalto caliente, una sustancia negra extraída del petróleo. Por último, pesadas apisonadoras pasan sobre el asfalto mientras se enfría para alisarlo.

IZQUIERDA Las apisonadoras comprimen el asfalto con sus pesados rodillos.

56
inventa
hormigón

1869
Primer canal
navegable

1885
Primer rascacielos
de diez plantas

1923
Se fabrica el primer
buldócer

1932
Se inaugura la
primera autopista

¿Cuál fue la primera autopista?

La primera autopista se abrió en 1932 en Alemania, donde
se le dio el nombre de *autobahn*. Actualmente, grandes redes
de carreteras unen las principales ciudades de muchos países.
Las autopistas son carreteras amplias que tienen dos carriles
o más por sentido. Cada vez más coches, camiones y
autobuses toman estas vías rápidas para recorrer grandes
distancias.

IZQUIERDA Los enlaces a varios niveles están
diseñados para evitar intersecciones, semáforos o
rotondas y conseguir que el tráfico sea más fluido.

¿Qué es un enlace a varios niveles?

Los enlaces a varios niveles son nudos
de carreteras que se cruzan en un complejo
sistema de lazos, rampas y puentes. Las
distintas carreteras se elevan sobre pilares
de hormigón a muchos metros del suelo.

39

HITOS DE LA CONSTRUCCIÓN

4000 a. C.	3500 a. C.	2000 a. C.	700 a. C.	100 d. C.
Primeros canales	Primeros ladrillos de arcilla cocida	Puentes de losas para cruzar ríos	Construcción del primer acueducto	Construcción con máquinas elevadora

PUENTES

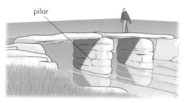

pilar

ARRIBA Puente de losas

¿Dónde se usó el primer puente?

Los primeros sistemas para cruzar vías de agua eran troncos tendidos sobre el curso, pero no podían salvar ríos anchos. Los primeros puentes de losas se construyeron en 2000 a. C. Se apilaban losas de piedra en el lecho del río para formar pilares y se tendían losas alargadas que cubrían los huecos abriendo un camino por encima del agua.

¿Quién inventó el puente de arco?

Los romanos usaron por primera vez arcos de piedra en edificios y monumentos. Pronto comprobaron que los arcos son estructuras sólidas que pueden servir para construir puentes. Los puentes modernos de arco suelen ser de hormigón o acero y salvan grandes distancias.

ABAJO Este puente de arco permite al ferrocarril cruzar el valle de un río.

¿Qué es un puente colgante?

Hace miles de años, en Sudamérica y Asia se construían sencillos puentes de cuerda para cruzar ríos y cañones. Los modernos puentes colgantes funcionan de forma similar. El tablero de un puente colgante está suspendido de dos fuertes cables de acero sujetos a altas torres de soporte a ambos lados del río. Cables de suspensión unen los cables principales al tablero.

ABAJO Un puente colgante, como el de Brooklyn, en Nueva York, es el mejor tipo de puente para salvar grandes distancias.

torre

cable

Personas, trenes y vehículos circulan por la plataforma.

El puente, de 1917, tiene una luz central de 549 metros.

ABAJO El puente en voladizo más largo del mundo es el Quebec Railway Bridge, en Canadá.

¿Cómo son los puentes en voladizo?

Los puentes en voladizo se inventaron para salvar mayores anchuras que los puentes de arco o de vigas. Presentan una estructura rígida de metal dividida en secciones formadas por sólidos tubos de acero dispuestos en forma de triángulo. Cada sección se sujeta sobre un pilar cimentado en el río, de modo que se equilibra el peso del puente.

¿SABÍAS QUE...?
El puente Akashi Kaikyo de Japón es el puente colgante más largo del mundo; su luz central mide 1.991 metros.

Cada mitad del puente se apoya en un pilar de soporte.

41

HITOS DE LA CONSTRUCCIÓN

| 4000 a. C. Primeros canales | 3500 a. C. Primeros ladrillos de arcilla cocida | 2000 a. C. Puentes de losas para cruzar ríos | 700 a. C. Construcción del primer acueducto | 100 d. C. Construcción con máquinas elevadoras |

CANALES

¿Cuándo surgieron los canales?

Los canales son vías de agua o ríos artificiales para el transporte de mercancías a larga distancia. Los canales más antiguos que se conocen se construyeron en Mesopotamia hacia 4000 a. C. Desde mediados del siglo XVIII largas barcas llamadas gabarras o barcazas transportan gran cantidad de carbón y otras mercancías por la red de canales.

ABAJO Las barcazas de mercancías siguen navegando por las redes de canales.

ABAJO El acueducto Pont du Gard, en Francia, fue construido por los romanos en torno a 19 a. C. El agua discurría por el conducto de la parte superior.

El primer nivel era una carretera.

¿Qué es un acueducto?

Los primeros acueductos eran conductos excavados en el suelo por los que se llevaba agua a las ciudades. Los había tan grandes que eran navegables. Los acueductos también se elevaban por encima del suelo para cruzar valles. El primer gran acueducto fue construido por los asirios en torno a 700 a. C. Tenía una altura de 10 m y una longitud de 300 m y llevaba agua a la ciudad de Nínive, en Oriente Próximo.

5	1869	1885	1923	1932
nventa	Primer canal	Primer rascacielos	Se fabrica el primer	Se inaugura la
ormigón	navegable	de diez plantas	buldócer	primera autopista

¿Cómo funciona una esclusa?

s esclusas permiten a las barcas navegar río arriba
bajo. Sirven para subir o bajar las barcas cuando
mbia el nivel del agua. Una esclusa es una parte
l canal lo bastante grande como para que quepa
a barca y se cierra con dos compuertas en cada
remo. Al abrir unas paletas o válvulas en cada
go de compuertas, el agua entra en la esclusa
a subir la barca o sale de ella para bajarla.

Las compuertas mantienen
el agua en el nivel
superior.

¿SABÍAS QUE...?
os caballos arrastraban las barcazas
anal arriba y abajo. Por eso a los lados se
onstruían los llamados caminos de sirga.

Las paletas de las compuertas
inferiores se abren para que el
agua salga y la barca baje.

¿Cuál fue el primero navegable?

Los canales navegables son enormes canales
que conectan mares y océanos. Estos canales
permiten a los cargueros recorrer más rápido
el mundo. El canal de Suez (en Egipto), que
une el mar Rojo y el Mediterráneo, fue el
primer canal que se abrió a los buques, en
1869. Unos 25.000 barcos lo cruzan cada año
para ir de Europa al sudeste asiático sin tener
que rodear África.

ABAJO Los buques de carga toman el
canal de Suez en Egipto y el canal
de Panamá en Centroamérica como
atajo entre los continentes.

LA ENERGÍA

Las norias, los molinos de viento, la electricidad
y las centrales nucleares nos proporcionan la
energía necesaria para que las máquinas trabajen
por nosotros. Averigua cómo funcionan las
máquinas de vapor, cómo localizan los científicos
el petróleo y el gas oculto en el subsuelo y cómo las
centrales hidroeléctricas aprovechan el movimiento
del agua para producir electricidad. Descubre cómo
las energías renovables, como la mareomotriz y la
geotérmica, pueden iluminar y calentar nuestros
hogares, y conoce los vehículos que funcionan
con energía solar en lugar de gasolina.

HITOS DE LA ENERGÍA

600 a. C.	30 a. C.	1712 d. C.	1800	1831
Molino de viento	Molinos movidos	Se inventa el	Una pila produce	Se inventa el
para moler harina	por norias de agua	motor de vapor	electricidad	generador eléctrico

ENERGÍA DEL VIENTO Y EL AGUA

¿Cuándo se inventó la noria?

Los griegos inventaron las norias hacia el año 100 a. C. Giraban sobre sí mismas impulsadas por la corriente de cursos de agua y accionaban unas muelas para hacer harina. Antes de 30 a. C., los romanos construían grandes norias para accionar molinos de agua. Se siguieron construyendo así durante muchos siglos.

Las aspas del molino se orientan de cara al viento.

¿Cómo funciona el molino?

El molino se inventó en Persia, ahora Irán, en 600 a. C. para poder moler grano en regiones sin cursos de agua. Los primeros molinos giraban verticalmente: consistían en un árbol central con aspas en la parte superior y muelas en la inferior. En el siglo XII los molinos europeos se diseñaban con un árbol horizontal, llamado eje eólico, que accionaban cuatro grandes aspas de madera.

El viento empuja las aspas, que mueven el eje eólico.

El eje eólico acciona un sistema de engranajes y ejes verticales.

Los ejes mueven las piedras que muelen la harina.

SABÍAS QUE...?
a presa de las Tres Gargantas, en China, es el mayor proyecto electrohidráulico del mundo. Cuando se inaugure, la presa endrá 26 generadores eléctricos y un mbalse de 600 km de longitud.

¿Qué es la energía hidroeléctrica?

Una central hidroeléctrica convierte la energía natural del movimiento del agua en electricidad. En muchos casos se construye una presa que interrumpe el curso de un río y acumula el agua en un embalse. Cuando se abren unas tuberías, el agua pasa con gran velocidad y fuerza y, dentro de la planta, hace girar una rueda con álabes, llamada turbina, que impulsa un generador. Después, la electricidad llega a hogares y empresas a través de cables eléctricos.

DERECHA El agua de la central hidroeléctrica regresa después al río.

Interior de la central
generador — nivel elevado
cables
turbina — embalse

presa

Cuando el nivel es demasiado alto, las compuertas se abren para soltar agua.

¿Cuál fue la primera central hidroeléctrica?

La primera central hidroeléctrica del mundo se construyó en un río de Wisconsin en 1882. La presa producía suficiente electricidad para la maquinaria de dos fábricas de papel y para iluminar la cercana vivienda del dueño de las fábricas.

47

HITOS DE LA ENERGÍA

| 600 a. C. Molino de viento para moler harina | 30 a. C. Molinos movidos por norias de agua | 1712 d. C. Se inventa el motor de vapor | 1800 Una pila produce electricidad | 1831 Se inventa el generador eléctrico |

COMBUSTIBLES FÓSILES

¿Qué es el combustible fósil?

Los combustibles fósiles se formaron a partir de restos de plantas y animales prehistóricos que quedaron enterrados bajo el barro. Esos restos, sometidos a la presión de capas de piedra y al cabo de millones de años, se convirtieron en carbón, gas o petróleo. Los combustibles fósiles se extraen de yacimientos geológicos. Al arder, producen calor, luz y energía para mover máquinas o producir electricidad. También liberan gases nocivos a la atmósfera.

IZQUIERDA El carbón arde en hornos para calentar agua y generar el vapor que impulsa ciertas máquinas.

¿Cómo se encuentran el gas y el petróleo?

Hacia 1910 se comenzó a utilizar el sismógrafo para localizar huecos en las rocas del subsuelo o bajo el lecho marino donde pudiera haber gas o petróleo. Con dinamita o cañones de aire, se crean ondas sonoras, que se reflejan en las piedras y se registran con el sismógrafo.

El sismógrafo está a bordo del barco de prospección.

cañón de aire

Las ondas sonoras se detectan con hidrófonos y registran en el sismógrafo.

ARRIBA El sismógrafo moderno se inventó en 1880. También detecta los movimientos del subsuelo, ayudando así a predecir terremotos.

Las rocas reflejan las ondas sonoras.

2	1891	1947	1954	1980
nera central	Se inventa el	Primera plataforma	Abren las primeras	Se construyen
oeléctrica	calentador solar	petrolífera	centrales nucleares	granjas eólicas

o Las primeras
las de gas
ncendían a
no.

¿Cuándo se inventó la luz de gas?

Hasta el siglo XVIII la gente se iluminaba
con velas o lámparas de aceite. También
había quien sacaba gas del subsuelo para
alimentar lámparas. En 1792 el ingeniero
inglés William Murdoch inventó una
forma de obtener gas calentando carbón.
En 1807 se instalaron las primeras
farolas de gas en Londres. Hoy día la mayor
parte del gas natural se consume como
combustible en centrales térmicas.

¿SABÍAS QUE…?
La plataforma Petronius, en
el golfo de México, es una
de las estructuras más altas
del mundo: se eleva 609 m
pur encima del lecho
marino, aunque 533 m
quedan sumergidos.

¿Cuál fue la primera plataforma?

Ya en el año 350 d. C. los chinos perforaban pozos
petroleros mediante barrenas sujetas a cañas
de bambú. El primer pozo petrolero moderno se
perforó en Asia en 1848. En 1947 se construyó la
primera plataforma para extraer gas y petróleo de
debajo del lecho marino, en el golfo de México.
En la actualidad, muchas plataformas están
ancladas a más de 1.600 m de profundidad.

La torre de perforación
sostiene la llamada
cadena de perforación,
que penetra en el suelo
para extraer petróleo.

IZQUIERDA La plataforma
cuenta con estancias
donde los trabajadores
pueden dormir y
descansar.

Una estructura de acero
sujeta la plataforma al
lecho marino.

49

HITOS DE LA ENERGÍA

600 a. C.	30 a. C.	1712 d. C.	1800	1831
Molino de viento	Molinos movidos	Se inventa el	Una pila produce	Se inventa el
para moler harina	por norias de agua	motor de vapor	electricidad	generador eléctrico

LA FUERZA DEL VAPOR

ABAJO Motor de vapor de Watt

¿Cuándo se inventó el motor de vapor?

En 1712 el inglés Thomas Newcomen
desarrolló el primer motor de vapor.
El motor quemaba carbón para producir
vapor, que accionaba unas bombas para
achicar el agua de las minas.

¿Cómo va el motor de vapor?

En 1769 el ingeniero escocés James Watt
mejoró el motor de Newcomen. En el
motor de Watt, el vapor se introducía en
un cilindro y empujaba un pistón. Después,
se condensaba con un chorro de agua fría,
lo que provocaba un vacío que hacía que
el pistón bajara de nuevo. El movimiento
alternativo del pistón podía accionar una
bomba o un basculante para mover todo
tipo de maquinaria.

El vapor hace subir y
bajar el pistón en el
cilindro.

El carbón
que arde
en el horno
convierte
el agua en
vapor.

condensador

IZQUIERDA Los motores
vapor se modifica...
para que impuls...
locomotoras
y barcos
vapor.

75029

50

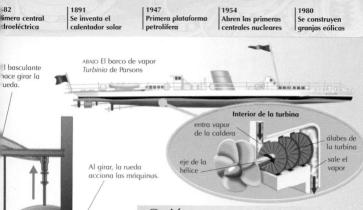

ABAJO El barco de vapor *Turbinia* de Parsons

El basculante hace girar la rueda.

Al girar, la rueda acciona las máquinas.

Interior de la turbina

entra vapor de la caldera

eje de la hélice

álabes de la turbina

sale el vapor

¿Quién inventó la turbina de vapor?

En 1884 el ingeniero inglés Charles Parsons construyó un nuevo motor llamado turbina de vapor. El vapor a presión hace girar los álabes de la turbina, que generan la fuerza para mover máquinas. En 1897 Parsons botó su barco, el *Turbinia,* para probar su invento. El barco navegaba impulsado por tres turbinas que accionaban nueve hélices.

¿Qué mueve los coches de vapor modernos?

En 2004 ingenieros británicos produjeron el *Inspiration*, un coche veloz y futurista impulsado por un chorro de vapor. Los motores de vapor pueden utilizar cualquier combustible, incluso energía solar, y por eso contaminan menos. En el futuro, los ingenieros esperan que los coches de vapor sean una alternativa ecológica a los vehículos con motor de gasolina.

DERECHA El *Inspiration* tiene un motor de vapor de gas propano.

HITOS DE LA ENERGÍA

| 600 a. C. | 30 a. C. | 1712 d. C. | 1800 | 1831 |
| Molino de viento para moler harina | Molinos movidos por norias de agua | Se inventa el motor de vapor | Una pila produce electricidad | Se inventa el generador eléctrico |

ELECTRICIDAD

¿Quién inventó la pila?

En 1780 el científico italiano Alessandro Volta vio producirse una reacción química entre una rana muerta, un cuchillo y una mesa metálica: se creó una carga eléctrica que hizo moverse a la rana. Después, en 1800, Volta creó la primera pila con una serie de discos de zinc y cobre separados por paños empapados en agua salada: se producía una reacción química entre el metal y el agua que generaba electricidad.

DERECHA Pila de Volta

¿SABÍAS QUE…?
Las pilas serán sustituidas por células no contaminantes de combustible que generan electricidad convirtiendo hidrógeno y oxígeno en agua.

pares de discos de zinc y cobre

ABAJO Faraday creó el primer generador electromagnético con un imán fijo en 1832.

Un disco de cobre gira entre los polos de un imán.

Una pequeña corriente eléctrica circula por el hilo.

imán

¿Qué es un generador eléctrico?

En 1831 el científico inglés Michael Faraday presentó el primer generador eléctrico. Cuando un imán atravesaba un lazo de hilo de cobre, el magnetismo generaba una corriente eléctrica que fluía por el hilo. Hicieron falta 50 años para construir el primer gran generador, con un imán que giraba dentro de una enorme bobina de hilo metálico para generar una corriente eléctrica.

Un voltímetro mide la tensión de la corriente.

¿Cuándo se inventó la bombilla?

ntes de que, en 1879, se inventara la bombilla, esultaba imposible iluminar los edificios con lectricidad. Una bombilla es un globo de cristal con un hilo dentro, llamado filamento, que brilla y produce luz cuando la electricidad pasa por él. Thomas Edison, inventor americano, creó las primeras bombillas prácticas cuando descubrió el filamento de carbono, que producía luz durante largo tiempo antes de fundirse.

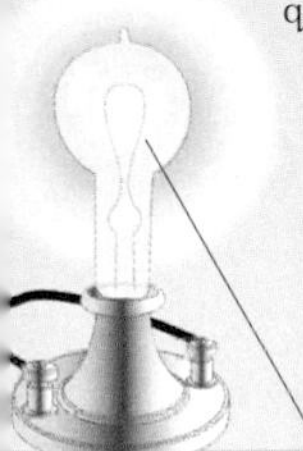

filamento

¿Cómo se obtiene la electricidad?

n los hornos de las centrales eléctricas se quema arbón para convertir agua en vapor. El vapor presión mueve turbinas conectadas a grandes eneradores eléctricos, que convierten el giro de as turbinas en la energía eléctrica que viaja por ables hasta los hogares, fábricas y empresas.

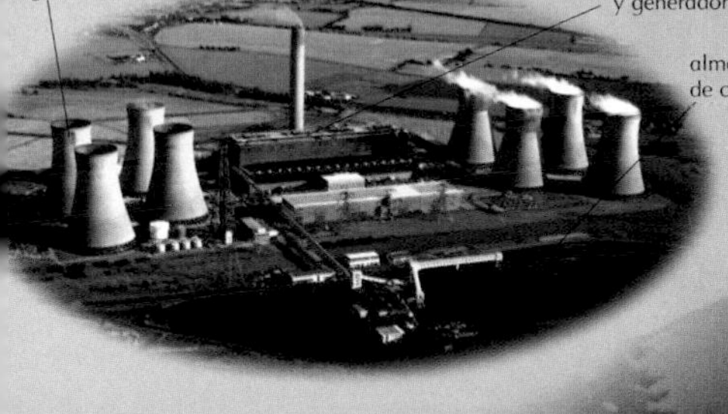

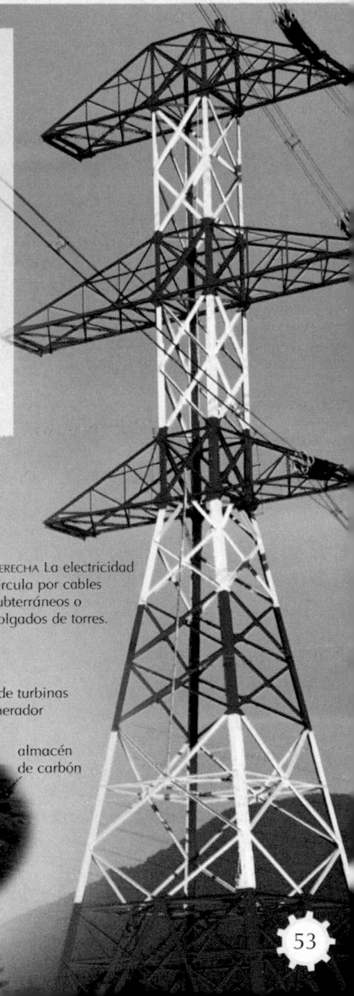

DERECHA La electricidad circula por cables subterráneos o colgados de torres.

orres de efrigeración

sala de turbinas y generador

almacén de carbón

HITOS DE LA ENERGÍA

| 600 a. C. Molino de viento para moler harina | 30 a. C. Molinos movidos por norias de agua | 1712 d. C. Se inventa el motor de vapor | 1800 Una pila produce electricidad | 1831 Se inventa el generador eléctrico |

ENERGÍA NUCLEAR

¿Quién logró la fisión atómica?

En 1938 los científicos alemanes Otto Hahn y Fritz Strassmann descubrieron que podían fisionar los átomos del metal uranio-235. Los átomos son partículas diminutas de material que sólo pueden verse con un potente microscopio. Al fisionarse, los átomos de uranio liberaron grandes cantidades de energía. Cuando esos fragmentos colisionaron con otros átomos, estos se fisionaron también en una reacción calorífica en cadena que produjo energía nuclear por primera vez.

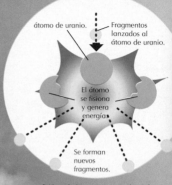

átomo de uranio.

Fragmentos lanzados al átomo de uranio.

El átomo se fisiona y genera energía.

Se forman nuevos fragmentos.

ARRIBA La fisión atómica genera energía nuclear.

¿Cuándo nació la energía nuclear?

En 1951 un grupo de científicos americanos que trabajaba en una planta de experimentación en el desierto de Idaho generó por primera vez electricidad a partir de la energía calorífica de un reactor de fisión nuclear. La primera central nuclear destinada a generar electricidad se abrió en la antigua URSS en 1954.

ABAJO Una moderna central nuclear.

torre de refrigeración

reactor nuclear

2	1891	1947	1954	1980
nera central	Se inventa el	Primera plataforma	Abren las primeras	Se construyen
roeléctrica	calentador solar	petrolífera	centrales nucleares	granjas eólicas

¿Cómo es el combustible nuclear?

combustible de las centrales nucleares el uranio, en forma de pastillas que se ilan en tubos. Esos tubos se agrupan haces y se colocan en el reactor, que á lleno de agua, rodeado de barras de ntrol. Cuando se sacan las barras de ntrol del reactor, los átomos de uranio piezan a fisionarse y la temperatura l agua se eleva. El agua en ebullición nera vapor, que mueve unas turbinas nectadas a generadores eléctricos.

Las barras de control suben o bajan para controlar la reacción nuclear.

Los tubos se agrupan en haces y se colocan en el reactor, que está lleno de agua.

¿SABÍAS QUE...?
Los submarinos nucleares pueden navegar durante 25 años sin necesidad de repostar.

pastillas de uranio en un tubo

roca seca y estable

eje

Las barras se entierran en túneles.

¿Cómo se controla la energía nuclear?

Además de calor, durante la fisión nuclear el uranio emite una radiación nociva. Por eso los reactores nucleares están formados de varias capas gruesas de metal y hormigón, que evitan que los materiales radioactivos escapen al medio ambiente. Los tubos usados son también muy radioactivos. Se enfrían en agua durante varios años antes de cargarlos en contenedores y transportarlos hasta un depósito de residuos, donde se entierran en túneles a gran profundidad, lejos de donde hay personas.

Los residuos nucleares conservan radioactividad durante unos mil años.

IZQUIERDA Los residuos radioactivos se entierran en depósitos aislados.

HITOS DE LA ENERGÍA

| 600 a. C. Molino de viento para moler harina | 30 a. C. Molinos movidos por norias de agua | 1712 d. C. Se inventa el motor de vapor | 1800 Una pila produce electricidad | 1831 Se inventa el generador eléctrico |

ENERGÍA SOLAR

¿Qué es la energía solar?

La energía solar procede del Sol. El Sol emite gran cantidad de luz y calor. Ya en 400 a. C. se utilizaban lentes para concentrar los rayos del sol en el combustible para encender el fuego. En el año 4 a. C., los romanos construían baños con grandes fachadas orientadas hacia el sur para captar el calor del sol. En la actualidad, la energía solar se recoge y aprovecha para calentar agua y edificios, y también para generar electricidad.

ABAJO Un horno solar tiene una tapa reflectante que dirige la luz del sol sobre los alimentos.

¿Quién inventó el horno solar?

En 1767 el científico suizo Horace de Saussure construyó el primer horno solar una caja aislada cubierta de cristal que captaba el calor de la luz solar. Aunque sólo funcionaba en días soleados, era del todo capaz de cocinar los alimentos. Los hornos solares siguen utilizándose en muchos lugares. Funcionan a alta temperatura y son económicos, pues no necesitan combustible.

IZQUIERDA Las centrales de energía solar funcionan en regiones soleadas. Los paneles solares calientan en unos tubos aceite que después se utiliza para generar vapor que mueve unas turbinas y produce electricidad.

luz solar

Los paneles solares son oscuros porque así absorben mejor el calor del sol.

tubería de agua caliente

¿Cómo funciona un calentador solar?

El inventor americano Clarence Kemp fabricó el primer calentador solar de agua del mundo en 1891. En la actualidad las placas solares, con las que se calienta el agua en muchos hogares, tienen un diseño similar. La luz solar atraviesa el panel y una placa situada debajo recoge el calor. El agua fría circula por los tubos del panel solar y, cuando se ha calentado, se almacena en un depósito dentro del edificio.

bería de agua a

agua caliente almacena en un epósito para utilizarla n el cuarto de baño.

¿SABÍAS QUE...?
En el espacio el suministro de luz solar es ilimitado, por lo que todos los satélites se alimentan con células solares. Cada uno lleva paneles con hasta 40.000 células fotovoltaicas.

¿Quién inventó la célula solar?

n 1839 el científico francés Alexandre-dmond Becquerel inventó una célula solar apaz de producir electricidad con la luz el sol. Pero esas primeras células solares fotovoltaicas no eran muy eficaces. En 954 un grupo de científicos americanos escubrieron que las células solares con licio recogían la luz del sol y la convertían irectamente en electricidad. Al colocar nuchas células juntas en paneles solares e generaba gran cantidad de electricidad.

ABAJO Este coche funciona con energía solar. Lleva paneles de células fotovoltaicas que generan electricidad para mover el motor.

paneles solares

57

HITOS DE LA ENERGÍA

600 a. C.	30 a. C.	1712 d. C.	1800	1831
Molino de viento	Molinos movidos	Se inventa el	Una pila produce	Se inventa el
para moler harina	por norias de agua	motor de vapor	electricidad	generador eléctrico

ENERGÍAS RENOVABLES

Se instala un pequeño generador eléctrico detrás de las aspas.

aspas de turbina

¿Cuándo se inventó la turbina eólica?

Las primeras turbinas eólicas se usaron en los años 40 para convertir la energía del viento en electricidad. Proporcionaban electricidad a granjas remotas. En la actualidad, las turbinas de viento tienen dos o tres aspas, instaladas en altas torres a una altura de hasta 30 m. Cuando el viento sopla, las aspas giran e impulsan un pequeño generador que produce electricidad. Desde principios de los 80, se han construido grupos de turbinas, llamadas granjas eólicas, sobre tierra y en el mar.

¿Cómo se aprovechan los residuos

Los residuos vegetales, como astillas o serrín de las fábricas o la paja de las granjas, se llaman biomasa y producen energía. También es posible obtener biogás de los residuos animales, como el estiércol. Estos combustibles se pueden quemar para producir vapor en centrales térmicas.

ABAJO Un digestor produce biogás a partir de estiércol animal. El estiércol se guarda durante unas semanas en un depósito, donde, al pudrirse, genera gas

Se obtiene biogás en la parte superior del digestor.

Turbina eólica

eje

engranajes

generador eléctrico

Las aspas giran para orientarse hacia el viento.

aspa

Los restos de estiércol se extraen del depósito.

58

2	1891	1947	1954	1980
nera central	Se inventa el	Primera plataforma	Abren las primeras	Se construyen
oeléctrica	calentador solar	petrolífera	centrales nucleares	granjas eólicas

Cuál fue la primera central mareomotriz?

movimiento del mar presenta energía en forma de mareas, rrientes y olas. Una central mareomotriz deriva esa energía tural para la producción de electricidad. La primera ntral mareomotriz, y la más grande del mundo, se abrió 1966 en el río Rance, en Francia. Se construyó una gran esa en el estuario. Cuando la marea sube y baja, el agua fluye por los túneles de la barrera y mueve turbinas que accionan generadores eléctricos.

IZQUIERDA Presa mareomotriz del río Rance, en Francia.

¿SABÍAS QUE...?
Los científicos han inventado la forma de convertir el estiércol del cerdo en diésel biomasa. Un cerdo puede producir 80 litros en toda su vida.

¿Qué es la energía geotérmica?

La temperatura del centro de la Tierra es lo bastante alta como para fundir la roca. En algunas zonas esa roca fundida no está a mucha profundidad y genera calor natural, llamado energía geotérmica. Se abren pozos en el suelo y se bombea agua hacia las rocas calientes. El agua se calienta y se convierte en vapor, que retorna a la central, donde mueve turbinas que accionan generadores eléctricos.

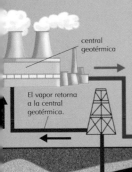

central geotérmica

El vapor retorna a la central geotérmica.

Se bombea agua hacia las rocas calientes.

rocas fundidas

LA FABRICACIÓN

Inventos increíbles, como la rueda y los robots industriales, nos han ayudado a fabricar objetos con mayor rapidez. Descubre cómo se utilizan chorros de aire o agua para fabricar la tela de la ropa que llevas puesta y cómo las latas de refresco usadas se convierten en otras nuevas. Aprende cómo se hace el jabón y para qué sirven las cintas transportadoras. Averigua por qué muchas de las cosas que nos rodean se hacen de plástico, y sorpréndete: los que fabrican los coches son robots, no personas.

HITOS DE LA FABRICACIÓN

| 5000 a. C. | 1000 d. C. | 1733 | 1764 | 1771 |
| Primer telar | Se usa la rueca para hilar | Lanzadera volante para tejer | Se inventa la máquina de hilar | Primera fábrica mecanizada |

HILAR Y TEJER

¿SABÍAS QUE...?

El americano Eli Whitney ideó una máquina para limpiar algodón en 1793, al ver un gato afilándose las uñas. Su invento, el desmotador, tenía filas de dientes que separaban las semillas de las fibras de algodón.

¿Quién inventó la rueca?

La rueca es un aparato que permite obtener hilos resistentes. La inventaron trabajadores textiles y tejedores asiáticos en torno al 1000 d. C. El operario hace girar una gran rueda sobre un bastidor, estirando y uniendo las fibras cortas de algodón en un largo hilo continuo, que se enrolla en un huso. En 1764 el inglés James Hargreaves inventó la máquina de hilar, que enrollaba el hilo en varios husos simultáneamente.

mango de la rueca

el hilo se enrolla en los husos

DERECHA Máquina de hilar de Hargreaves.

fibras de algodón

¿Cuándo se inventó el telar?

El telar se inventó hace unos 7.000 años y servía para tejer telas o alfombras de hilo. La urdimbre es la serie de hilos que se tensan de arriba abajo en el telar. La trama son los hilos que se cruzan y entrelazan con la urdimbre en sentido horizontal para confeccionar el tejido. En 1733 el inglés John Kay inventó la lanzadera volante, un huso con los hilos de la trama enrollados que se pasaba rápidamente hacia delante y hacia atrás y que hacía que tejer fuera mucho más rápido.

urdimbre

trama

lanzadera

ARRIBA Telar de lanzadera volante de Kay.

02	1901	1909	1958	1961
cio de la	Primera cadena	Primeros plásticos	Latas de refresco	Primeros robots
oducción industrial	de montaje	químicos	de aluminio	en la industria

¿Qué produjo la primera fábrica?

n las primeras fábricas los trabajadores textiles jían a mano. El inglés Richard Arkwright onstruyó la primera fábrica mecanizada n 1771. Su molino de algodón, situado en romford (Inglaterra), empleaba a muchos abajadores, que producían prendas de algodón on la máquina de hilar inventada por el ismo Arkwright y telares. Las máquinas las ccionaron primero norias y después motores e vapor. Arkwright construyó cerca del molino viendas en las que vivían los trabajadores.

ABAJO El molino de Cromford estaba junto a un río y utilizaba sus aguas para mover las máquinas de hilar y tejer.

¿Cómo es un telar industrial?

Los modernos telares industriales son enormes máquinas informatizadas instaladas en gigantescos talleres. Funcionan sin lanzaderas volantes: con chorros de agua o aire a presión, disparan los hilos de la trama a través de la urdimbre a gran velocidad. Cada telar se programa para seleccionar diferentes colores y crear complejos dibujos en la tela. Un trabajador puede atender 20 telares al mismo tiempo.

IZQUIERDA Los telares industriales tradicionales aún funcionan en fábricas pequeñas,

ABAJO Coloridas bobinas de hilo para tejer.

63

HITOS DE LA FABRICACIÓN

| 5000 a. C. | 1000 d. C. | 1733 | 1764 | 1771 |
| Primer telar | Se usa la rueca para hilar | Lanzadera volante para tejer | Se inventa la máquina de hilar | Primera fábrica mecanizada |

OBJETOS FABRICADOS

ABAJO Baekeland llamó a este descubrimiento baquelita. Es el nombre del plástico duro con el que se hacían distintos objetos, como este teléfono.

¿Cuándo se inventó el plástico?

A finales del siglo XIX, botones, mangos y otros objetos se hacían con materiales naturales como hueso, concha o marfil. Como eran muy caros, en 1863 los inventores crearon un material nuevo, el celuloide. Ese material artificial se producía añadiendo productos químicos a las fibras de algodón y fue el primer tipo de plástico. En 1909 un químico de Nueva York inventó el primer plástico químico auténtico. Leo Baekeland descubrió que su viscosa mezcla se podía moldear y se endurecía al calentarla.

IZQUIERDA El celuloide se utilizó para fabricar objetos que parecieran de marfil o hueso, como este cepillo para bebés.

¿Para qué sirve el plástico?

El plástico se ha convertido en el principal material industrial debido a su impermeabilidad, fácil moldeabilidad y bajo precio. Los plásticos pueden ser blandos o duros, flexibles o rígidos, opacos o transparentes, en función de los productos químicos con los que estén hechos.
Los objetos de plástico están en todas partes, desde el interior de un coche o un frigorífico hasta juguetes, ropa, CD y teléfonos móviles.

ABAJO Antes los juguetes, como este triciclo, se hacían de metal, y se oxidaban con rapidez. Ahora son de coloridos plásticos.

DERECHA Muchos productos líquidos, como los detergentes, se envasan en botellas de plástico: sustituyen a las botellas de cristal que se rompían al caerse.

Por qué se recicla el aluminio?

esde 1958 se fabrican latas para bebidas con uminio, un metal ligero que se extrae de rocas rcillas. Sin embargo, en realidad, muchas las se hacen con latas viejas. En una planta de ciclado, las latas se funden y el metal se vierte moldes para formar lingotes, que se llevan una fábrica en la que grandes prensas los nvierten en finas láminas de aluminio. Otras áquinas cortan esas láminas y las sueldan para oducir latas nuevas.

¿SABÍAS QUE…?
Cada día se desechan millones de botellas de plástico que se podrían reciclar. El plástico se tritura y se convierte en fibras de poliéster para hacer alfombras, ropa o más botellas.

¿Cómo se hace el jabón?

El jabón se hace calentando aceites vegetales o animales con un alcalino, como la ceniza. Eso produce, además del jabón, una sustancia llamada glicerina. En una fábrica se elimina la glicerina y se seca el jabón antes de añadirle perfume y colorante. Después, el jabón se corta, se moldea y se envuelve: esas son las pastillas que compramos.

IZQUIERDA Muchas prendas abrigan, duran mucho, son impermeables o se secan con rapidez porque están hechas con los nuevos tejidos de fibras de plástico.

HITOS DE LA FABRICACIÓN

| 5000 a. C. | 1000 d. C. | 1733 | 1764 | 1771 |
| Primer telar | Se usa la rueca para hilar | Lanzadera volante para tejer | Se inventa la máquina de hilar | Primera fábrica mecanizada |

PRODUCCIÓN INDUSTRIAL

ABAJO Brunel fabricaba al año 130.000 cajas de poleas.

¿Dónde empezó la fabricación masiva?

En las primeras fábricas cada trabajador solía hacer un producto de principio a fin. En 1802 el ingeniero francés Marc Isambard Brunel comenzó a producir en Inglaterra poleas de madera para aparejos de barco. En su fábrica había 45 máquinas diferentes accionadas por vapor. Para acelerar el proceso, cada trabajador efectuaba una sola operación en cada polea antes de pasársela al siguiente.

¿Quién creó la cadena de montaje?

En 1901 Ransom E. Olds creó la primera cadena de montaje en su fábrica americana de automóviles. Se le ocurrió que una cinta transportadora aceleraría el proceso de fabricación de coches. Las cintas llevaban los coches hasta los trabajadores de distintas partes de la fábrica, y ellos instalaban rápidamente la misma pieza en cada uno. El menor tiempo de producción abarataba el precio de los coches.

DERECHA La cadena de montaje de Olds fue copiada por otros fabricantes de automóviles, como Henry Ford en Estados Unidos.

02	1901	1909	1958	1961
cio de la	Primera cadena	Primeros plásticos	Latas de refresco	Primeros robots
ducción industrial	de montaje	químicos	de aluminio	en la industria

Cuándo se inventó el robot industrial?

n problema de las cadenas de montaje es que los
abajadores se aburren repitiendo siempre el mismo gesto,
un operario cansado puede cometer errores. Se encontró
a solución en 1961, al instalar por primera vez un robot
dustrial en una fábrica de coches, en Estados Unidos.
ogramado por ordenador, el robot asumió el trabajo de
escargar y apilar piezas de metal calientes.

¿SABÍAS QUE...?
Los sensores de los brazos robot les
permiten repetir exactamente los
mismos movimientos una y otra vez,
y además no se cansan nunca.

RECHA Los robots industriales
n rápidos y precisos. Realizan
chas tareas, como
dar, pintar, montar
ezas y probar
productos
minados.

Brazo con
articulaciones
movidas por
motores.

¿Qué es la personalización en masa?

En la personalización en masa los objetos de producción
industrial se modifican para satisfacer las necesidades del
cliente. La moderna tecnología informática permite fabricar
los componentes básicos de un producto, como un coche,

y después montar una versión especial. Por
ejemplo, el cliente puede encargar un color
determinado, un ordenador personalizado o
un CD con su propia selección de canciones.

Los coches se
montaban sobre una
cinta transportadora.

67

EL TRANSPORTE

Desde los tiempos más remotos las personas han
ideado ingeniosas maneras de transportarse a sí
mismas y sus pertenencias por tierra, mar y aire.
Conoce las sencillas canoas ahuecadas, los antiguos
carros y la primera bicicleta. Aprende sobre el
transporte público, desde autobuses tirados por
caballos hasta trenes de vapor, y sobre el desarrollo
de vehículos más rápidos, como automóviles y
camiones. Descubre cuándo se empezaron a cruzar
los océanos en barcos de vela y cómo inventos
como el globo de aire o el helicóptero
conquistaron el firmamento.

HITOS DEL TRANSPORTE

| 7000 a. C. Primeras canoas y balsas | 3500 a. C. Primeros botes a vela y carros con ruedas | 400 d. C. Se inventa el catamarán | 1783 Vuelo del primer globo aerostático | 1825 Primer ferrocarril de vapor |

CAMIONES Y AUTOBUSES

¿Cómo se transportaban las mercancías?

Entre 7000 y 4000 a. C., las mercancías se transportaban por tierra tirando de trineos. Hacia 5000 a. C. se empezaron a adiestrar animales, como burros y mulas, para llevar cargas sobre el lomo o arrastrarlas sobre grandes planchas de madera. Alrededor del año 4000 a. C. se inventó la rueda, en Mesopotamia, lo que llevó a fabricar carros de los que tiraban animales.

ARRIBA Carro de guerra mesopotámico.

¿SABÍAS QUE…?
Los camiones más largos del mundo circulan por las rectas carreteras del interior de Australia. Estos monstruos tiran de tres o cuatro remolques y se conocen como «trenes de carretera».

¿Cuándo se inventó la carroza?

En el siglo XVII empezaron a circular grandes carrozas de cuatro ruedas tiradas por caballos. Las carrozas transportaban personas y equipaje, y tenían un techo que los protegía de la intemperie. A partir de mediados del siglo XVIII las carrozas de larga distancia se llamaron diligencias. En cada parada, los viajeros se apeaban y los cuatro caballos eran sustituidos por otros frescos para que pudiera mantener una velocidad de unos 11 km/h.

IZQUIERDA Las diligencias fueron el primer tipo de transporte público.

ARRIBA Ómnibus tirado por caballos.

¿Cuál fue el primer autobús?

El primer ómnibus, o autobús, tirado por caballos circulaba por París en 1828. Tenía una cabina lo bustante grande para varios pasajeros, sentados en bancos de madera. El ómnibus fue sustituido por tranvías, que circulaban sobre raíles por las calles de la ciudad. El primer servicio tranvía tirado por caballos se inauguró en 1832 en Nueva York. Desde la década de 1880 los tranvías funcionan con electricidad, y los autobuses modernos funcionan con gas o gasóleo.

IZQUIERDA En Londres (Inglaterra) había autobuses de dos pisos.

¿Quién inventó el camión frigorífico?

El estadounidense Frederick Jones inventó el camión frigorífico para mantener fresca la mercancía en 1935. Para que no varíe la temperatura idónea, la mayor parte de los camiones modernos llevan un ventilador, una unidad de refrigeración y un termostato. El área refrigerada está aislada para que no se escape el frío.

DERECHA Un camión frigorífico transporta productos frescos.

HITOS DEL TRANSPORTE

7000 a. C.	3500 a. C.	400 d. C.	1783	1825
Primeras canoas	Primeros botes a vela	Se inventa el	Vuelo del primer	Primer ferrocarril
y balsas	y carros con ruedas	catamarán	globo aerostático	de vapor

BICICLETAS

¿Cuándo se hizo la primera bicicleta?

¿SABÍAS QUE...?
Antes de 1888 las ruedas de hierro y madera hacían que las bicicletas no fueran muy cómodas. Las modernas, gracias al inventor escocés John Dunlop, llevan neumáticos.

La primera bicicleta, llamada *hobby horse* (caballito de madera) se fabricó en 1819. Era de madera, no tenía pedales y se empujaba con los pies. La primera bicicleta con pedales para mover la rueda trasera fue el velocípedo, inventado en 1839. Pero la primera bicicleta parecida a las actuales fue la bicicleta de seguridad *Rover*, construida en 1885 por el ingeniero británico John Starley. Tenía cadena, un bastidor en forma de rombo y dos ruedas iguales con radios.

DERECHA
Bicicleta de seguridad *Rover*.

¿Qué era el velocípedo?

Ingenieros británicos inventaron el velocípedo en 1870. Debido al gran diámetro de la rueda delantera, con cada giro de los pedales la bicicleta avanzaba mucho. Por desgracia, esta bicicleta era poco estable y se producían frecuentes accidentes. Por eso, desde que en 1885 se inventó la bicicleta de seguridad, el velocípedo fue quedando relegado al olvido.

IZQUIERDA El diámetro de la rueda delantera del velocípedo podía alcanzar los 1,5 m.

0	1885	1903	1939	1976
inventa el	Primer automóvil con	Primer vuelo con	Se inventa el	Avión supersónico
ocípedo	motor de gasolina	éxito de un avión	helicóptero moderno	de pasajeros

o El bastidor de una
cleta moderna es de tubos
metal o plástico reforzado
fibra de carbono, ligero
uy resistente.

manillar

sillín

cable de freno

iñones

cadena   pedal

¿Cómo funciona una bicicleta moderna?

Para que la bicicleta se mueva, se empujan los pedales con los pies. Así se acciona la cadena, que hace girar la rueda trasera, y la bicicleta se mueve hacia delante. Para detenerla, el ciclista aprieta los frenos instalados en el manillar, que accionan unos cables que empujan las pastillas de freno contra la rueda. Los platos y piñones ayudan a los ciclistas a circular cuesta arriba modificando el número de giros de la rueda trasera por pedalada.

¿Quién inventó la motocicleta?

1885 los ingenieros alemanes
ottlieb Daimler y Wilhelm
aybach diseñaron la primera
otocicleta de dos ruedas con
otor de gasolina. Las modernas
enen un bastidor de acero al
ue se sujetan el motor, la caja
e cambios, el sillín, el depósito,
c. El motor acciona un cardán
una cadena que hacen rodar
rueda trasera. Como en una
ci, la rueda trasera impulsa la
otocicleta.

DERECHA La policía
de tráfico va en
motocicleta.

motor   depósito   cadena   tubo de escape

73

TOS DEL TRANSPORTE

| 7000 a. C. Primeras canoas y balsas | 3500 a. C. Primeros botes a vela y carros con ruedas | 400 d. C. Se inventa el catamarán | 1783 Vuelo del primer globo aerostático | 1825 Primer ferrocarril de vapor |

COCHES

DERECHA El primer coche, de Karl Benz, sólo tenía 3 ruedas.

motor de combustión interna

¿Cuándo se inventó el automóvil?

El ingeniero alemán Karl Benz inventó el automóvil de gasolina en 1885. Años atrás, en 1859, se había inventado el motor de combustión interna y Benz lo aplicó a un práctico vehículo motorizado. El coche circulaba muy despacio y los pasajeros iban sentados muy arriba y a la intemperie. Los primeros coches eran caros y hasta 1910, cuando Henry Ford empezó a producir coches en serie en Estados Unidos, eran pocos los que podían permitirse comprar uno.

¿Por qué los coches necesitan gasolina?

Los coches modernos llevan un motor de combustión interna. El motor quema gasolina o gasóleo dentro de sus cilindros para obtener la energía que impulsa el coche. Al explotar, el combustible hace subir y bajar un pistón, que mueve el cigüeñal. A su vez, este mueve las ruedas y el coche avanza. La batería ofrece electricidad para el motor de arranque y las bujías, que permiten arrancar el motor.

Con pedale otros mand el conduct acelera, fre y cambia de marcha

ARRIBA Los conductores repostan en gasolineras. La gasolina se bombea en el depósito con una manguera con boquilla.

DERECHA Los motores de los coches suelen tener cuatro cilindros. Las bujías queman una mezcla de aire y gasolina que, al explotar, empuja el pistón hacia abajo.

aire y gasolina
bujía
Cilindro de un motor de coche
gases de escape
pistón
cigüeñal

La caja de cambios permite variar la potencia que se transmite a las ruedas del coche.

El árbol de transmi conecta la caja de cambios con el eje trasero.

	1885	1903	1939	1976
nventa el	Primer automóvil con	Primer vuelo con	Se inventa el	Avión supersónico
cípedo	motor de gasolina	éxito de un avión	helicóptero moderno	de pasajeros

Cuánto corren los bólidos?

un tramo recto de un circuito de carreras,
bólidos pueden alcanzar los 300 km/h. Los
ches de carreras corren tanto porque sus
tores son más potentes y funcionan más
risa que los de los vehículos normales.
emás, adoptan un perfil bajo y tienen una
ma especial para reducir su resistencia
rodinámica.

¿SABÍAS QUE…?
Los coches más limpios del
mundo se mueven con aire.
Sus motores emplean aire
comprimido, que se almacena
en depósitos bajo el vehículo.

ARRIBA
La bandera de
cuadros señala
la meta.

puesto de pilotaje

:hos neumáticos
gran agarre

s alerones
anteros y
seros de este
mula Indy
ntienen el
ículo en la
retera a altas
ocidades.

depósito

El tubo de escape
expulsa los gases
quemados del motor.

¿Qué son los coches eléctricos?

Los coches eléctricos son vehículos
propulsados por baterías. Se inventaron
debido a la preocupación de la gente
por la contaminación. Sin embargo,
las baterías de los coches eléctricos son
grandes y pesadas, y sólo almacenan
potencia suficiente para que el vehículo
recorra una distancia determinada antes
de tener que enchufarlas a la corriente
para recargarlas.

HITOS DEL TRANSPORTE

7000 a. C.	3500 a. C.	400 d. C.	1783	1825
Primeras canoas	Primeros botes a vela	Se inventa el	Vuelo del primer	Primer ferrocarril
y balsas	y carros con ruedas	catamarán	globo aerostático	de vapor

TRENES

¿Cuál fue el primer tren de pasajeros a vapor?

ABAJO La *Locomotion*, de George Stephenson

Uno de los primeros trenes de pasajeros a vapor fue construido
por el ingeniero británico George Stephenson en 1825.
Su locomotora *Locomotion* tiraba de cinco vagones
en la línea de Stockton a Darlington, en Inglaterra.
Sólo alcanzaba los 24 km/h pero era mucho más
rápido que los anteriores trenes, que eran simples
vagones sobre raíles de hierro tirados por caballos.

riel eléctrico

viga de hormigón

¿Cómo funciona el monorraíl?

Los trenes monorraíl circulan sobre un raíl o
cuelgan de él. El primer monorraíl se construyó
en 1880. Hoy, la mayoría circula mediante
ruedas sobre una viga de hormigón que
constituye la vía, y tiene unas ruedas guía que
se apoyan en el lateral del raíl para estabilizar
el tren. Los raíles eléctricos suministran corriente
y algunos trenes funcionan sin maquinista.

TGV

Qué es el tren maglev?

s trenes maglev no tienen locomotora
ruedas. Levitan o flotan sobre la vía.
glev significa «levitación magnética».
as bobinas de cable con carga
ctrica instaladas en la vía generan un
ente campo magnético que, con la
da de unos potentes imanes, levanta
tren y lo impulsa hacia delante. Estos
nes son más rápidos porque no los frena
fricción de las ruedas sobre los raíles.

ARRIBA Los maglev viajan a
la sorprendente velocidad
de 500 km/h.

Dónde opera el tren TGV?

V son las siglas de *Train à Grande
esse*, que significa tren de alta
locidad en francés. Este tren
éctrico circula por vías especiales
alcanza los 300 km/h, lo que lo
nvierte en el tren convencional más
pido del mundo. La mayoría de los trenes
alta velocidad tienen potentes motores
éctricos o diésel.

DERECHA Tren TGV

El pantógrafo
obtiene corriente
eléctrica de la
catenaria.

El ordenador del TGV,
en la cabina del maquinista,
controla todos los sistemas
del tren.

Motores eléctricos
impulsan las
ruedas motrices.

¿SABÍAS QUE...?
El primer ferrocarril
suburbano del mundo
se abrió en Londres
(Inglaterra) en 1863.
Los pasajeros viajaban
en vagones tirados por
locomotoras de vapor.

HITOS DEL TRANSPORTE

| 7000 a. C. | 3500 a. C. | 400 d. C. | 1783 | 1825 |
| Primeras canoas y balsas | Primeros botes a vela y carros con ruedas | Se inventa el catamarán | Vuelo del primer globo aerostático | Primer ferrocarril de vapor |

BOTES

¿Cómo eran los botes prehistóricos?

Los primeros botes, en torno a 7000 a. C., eran sencillas canoas hechas con troncos ahuecados, o balsas construidas con haces de troncos o cañas atados entre sí. En Gran Bretaña los coracles consistían en un armazón ovalado de tiras de mimbre recubierto de pieles de animal. Los botes se impulsaban con palas y remos. En 3500 a. C. se construían botes con velas de piel o estera.

ARRIBA Los coracles se recubrían de brea para impermeabilizarlos.

mástil

¿Quién inventó el catamarán?

Los pescadores del sur de la India inventaron el catamarán hacia el año 400 d. C. Su nombre significa «troncos atados». Un catamarán tiene dos cascos conectados con una cubierta que soporta el mástil. Al tener dos cascos gemelos, el catamarán no se escora tan fácilmente como un bote normal.

DERECHA Los pequeños catamaranes de playa están diseñados para una o dos personas.

casco

casco

cubierta

| 1885 | 1903 | 1939 | 1976 |
| Primer automóvil con motor de gasolina | Primer vuelo con éxito de un avión | Se inventa el helicóptero moderno | Avión supersónico de pasajeros |

nventa el cípedo

¿Qué es un hidrodeslizador?

Un hidrodeslizador es un barco que vuela sobre el agua. El barco tiene aletas –láminas en forma de ala - soldadas al casco. Cuando el agua pasa sobre ellas, el casco se levanta. Así, puede navegar libre de la resistencia al avance que afecta a los barcos ordinarios. Enrico Forlanini, inventor italiano, construyó el primer hidrodeslizador en 1906.

DERECHA Hidrodeslizador

aleta

soporte

Qué es una moto de agua?

a moto de agua es un cruce entre moto ancha. Su motor acciona una mba que expele un chorro agua por la parte posterior la moto para impulsarla cia delante. Montado ella, el piloto ede navegar con pidez, hacer giros onunciados y llegar ugares recónditos.

CHA Las motos de agua son pasatiempo apreciado en los s y en el mar, donde los pilotos den navegar libremente.

HITOS DEL TRANSPORTE

7000 a. C.	3500 a. C.	400 d. C.	1783	1825
Primeras canoas y balsas	Primeros botes a vela y carros con ruedas	Se inventa el catamarán	Vuelo del primer globo aerostático	Primer ferrocarril de vapor

BARCOS

vela mayor   palo mayor

¿Cuándo nacieron los navíos?

Si los botes navegan por ríos y bordeando la costa, los grandes navíos cruzan los océanos. En torno al año 3000 a. C., los egipcios construían grandes barcos con velas cuadradas sujetas a un mástil. A principios del siglo XIX los clíperes, con muchas velas, eran los barcos más rápidos. En la actualidad, modernos barcos de todo el mundo toman parte en regatas anuales.

DERECHA Los modernos veleros se aparejan con velas cuadradas sujetas a los mástiles.

mesanas

ABAJO Un vapor fluvial turístico con rueda de palas en la popa.

¿Qué son los vapores de palas?

El primer vapor de palas se construyó en Francia en 1783. El barco tenía un motor de vapor impulsado por dos ruedas laterales de palas de 4 metros. Los barcos de vapor necesitaban llevar mucho carbón, de modo que tenían que ser grandes. En 1897 el ingeniero inglés Charles Parsons probó una nueva turbina de vapor que incrementó mucho la velocidad de estos barcos.

quetes

¿Quién viaja en los cruceros?

Los cruceros son lujosos hoteles flotantes para turistas. Tienen salas de fiestas, restaurantes, tiendas, cines, pistas de tenis e incluso piscinas. Antes de que el avión se hiciera popular, acabada la Segunda Guerra Mundial, el mundo se cruzaba en navíos gigantes, como el británico *Mauritania*, el primer crucero que entró en servicio, en 1907. El moderno *Queen Mary 2* alberga a 2.620 pasajeros y a 1.253 tripulantes.

ABAJO El *Queen Mary 2* es el crucero más grande del mundo.

foque

cubierta de observación

camarotes de pasajeros

¿SABÍAS QUE...?
Los superpetroleros son los barcos más grandes. Transportan hasta dos millones de barriles de crudo y son tan grandes que necesitan 10 km para detenerse.

bauprés

Cómo funcionan los *ferries* de pasajeros?

esde 1939 la mayoría de los buques modernos, incluidos s *ferries,* llevan motores diésel que accionan las hélices e impulsan el barco. Los *ferries* tienen rampas para ue coches, camiones y otros vehículos suban a ordo y bajen fácilmente en el puerto. El primero e estos *ferries* operó en Escocia en 1851. Tenía íles a bordo para transportar vagones de rrocarril de una orilla de un río a otra.

HITOS DEL TRANSPORTE

| 7000 a. C. Primeras canoas y balsas | 3500 a. C. Primeros botes a vela y carros con ruedas | 400 d. C. Se inventa el catamarán | 1783 Vuelo del primer globo aerostático | 1825 Primer ferrocarril de vapor |

GLOBOS Y DIRIGIBLES

¿Cuándo se elevó el primer globo?

En 1783 una oveja, un perro y un pato fueron
los primeros pasajeros que volaron en globo. Los
hermanos franceses Joseph y Etienne Montgolfier
fabricaron un globo de seda que recorrió tres
kilómetros sobre París. Más tarde lanzaron otro globo,
que elevó a dos voluntarios 400 metros en el aire.

IZQUIERDA Glob
de los Montgo

¿Por qué necesitan aire caliente?

El aire caliente es más ligero que el frío y tiende a
elevarse. La enorme bolsa de nailon de un globo
contiene gran cantidad de aire caliente, suficiente
para levantar la cesta. Para elevarse, el piloto
enciende un quemador de gas que calienta el aire,
lo que impulsa al globo hacia arriba. Para descender,
tira de una cuerda que abre una trampilla en la parte
superior del globo, y así se escapa aire caliente.

ABAJO Los globos
dependen de las brisas
para desplazarse.

Como los globos no se
pueden dirigir, no son un
medio de transporte fiable.
Volar en globo es hoy día
sobre todo un deporte.

¿SABÍAS QUE...?
En 1999 un globo de diseño especial dio la vuelta al mundo sin escalas en sólo 20 días. Los dos pilotos iban en una pequeña cápsula.

trompilla

bolsa

quemador de gas propano

cesta para el piloto y los pasajeros

¿Qué es un dirigible?

Los dirigibles son enormes globos en forma de torpedo impulsados por motores. En 1852 el ingeniero francés Henri Giffard inventó el dirigible impulsado por motor de vapor. Tenía 44 metros de largo y estaba lleno de hidrógeno, un gas más ligero que el aire. En 1930 dirigibles de lujo transportaban a gran cantidad de pasajeros. Pero, en 1937, el *Hindenburg* se incendió cerca de Nueva York. Por eso dejaron de usarse los dirigibles llenos de hidrógeno, que eran muy inflamables.

motores

timón de dirección

barquilla

envoltura que contiene bolsas de helio

aletas de elevación

¿Cómo vuelan los dirigibles modernos?

Los dirigibles tienen hélices y motores de gasolina que los impulsan. El piloto puede cambiar de dirección con el timón y subir o bajar gracias a las aletas de elevación. Los pasajeros viajan en una cabina llamada barquilla sujeta bajo el dirigible. Los dirigibles modernos están llenos de helio, un gas ligero más seguro que el hidrógeno.

83

HITOS DEL TRANSPORTE

7000 a. C.	3500 a. C.	400 d. C.	1783	1825
Primeras canoas y balsas	Primeros botes a vela y carros con ruedas	Se inventa el catamarán	Vuelo del primer globo aerostático	Primer ferrocarril de vapor

HELICÓPTEROS

¿Qué es un helicóptero?

Un helicóptero es una aeronave que se eleva mediante grandes aspas giratorias. Los helicópteros despegan y aterrizan en vertical, cambian de dirección rápidamente, se detienen en el aire, giran e incluso vuelan de lado y hacia atrás. No son tan seguros ni estables como los aviones y no vuelan tan rápido, pero necesitan menos sitio para aterrizar. Los helicópteros son ideales para desempeñar labores de rescate y vigilancia.

aspas del rotor principal

rotor de cola

ARRIBA Los guardacostas emplean helicópteros en misiones marítimas de búsqueda y rescate.

¿Cuándo se inventó el helicóptero?

En 1907 el *Giroplano n.º 1* francés fue el primer helicóptero que se elevó con un piloto a bordo, pero se rompió al aterrizar. Los helicópteros modernos siguen la aeronave inventada por un rusoamericano, Igor Sikorsky, en 1939. Tenía un rotor principal encima y un pequeño rotor de cola, como los helicópteros modernos.

DERECHA El helicóptero *VS-300* de Igor Sikorsky.

84

¿Cómo vuela el helicóptero?

bina

Cuando las aspas de un helicóptero giran, impulsan aire hacia abajo. Pero el impulso hace girar también el cuerpo del helicóptero, por lo que la mayoría lleva un pequeño rotor junto a la cola que gira en dirección opuesta, para evitar que el aparato dé vueltas sobre sí mismo. El piloto dirige el helicóptero inclinando el ángulo de las aspas hacia delante, hacia atrás o hacia los lados.

¿SABÍAS QUE...?
El helicóptero más grande del mundo es el *Mil MI-26 ruso*. Tiene 40 m de largo y ocho aspas, y transporta grandes pesos.

¿Por qué algunos tienen dos rotores?

helicóptero *Chinook* tiene un rotor en la parte elantera y otro en la parte trasera de su largo cuerpo fuselaje. Los rotores giran en dirección opuesta para ompensarse entre sí, lo que hace que el aparato sea ólido y estable. Los helicópteros *Chinook* ueden cargarse desde ambos lados y ansportar cargas muy pesadas. ejército estadounidense os utilizó por primera ez en 1962.

ERECHA El helicóptero nilitar *Sea Knight* ambién tiene dos otores, pero transporta nenos peso que el *hinook*.

fuselaje

tren de aterrizaje

HITOS DEL TRANSPORTE

| 7000 a. C. Primeras canoas y balsas | 3500 a. C. Primeros botes a vela y carros con ruedas | 400 d. C. Se inventa el catamarán | 1783 Vuelo del primer globo aerostático | 1825 Primer ferrocarril de vapor |

AVIONES

¿Cuándo voló el primer avión?

ABAJO El famoso avión *Flyer* de los hermanos Wright, de 1903

En 1903 dos hermanos estadounidenses, Wilbur y Orville Wright, construyeron el primer avión propulsado que consiguió volar. Su avión casero tenía un motor de gas conectado a dos hélices mediante cadenas de bicicleta. Orville controlaba el avión tirando de cables que inclinaban ligeramente las alas de tela. Su histórico primer vuelo duró sólo 12 segundos y se grabó con una cámara.

ARRIBA El enorme *Airbus A380*, con 555 asientos, es el mayor avión de pasajeros.

¿Cómo funcionan los reactores?

El primer motor de reacción lo construyó el ingeniero británico Frank Whittle en 1937. Pero Ernst Heinkel fabricó el primer avión a reacción, en Alemania, en 1939. La mayoría de los aviones modernos llevan motores de reacción con un ventilador que succiona el aire. Parte de él pasa a la cámara de combustión, donde se mezcla con combustible, explota y genera gases calientes, que mueven el ventilador y se escapan por detrás del motor, impulsando el avión. La mayor parte del empuje procede del aire que pasa alrededor del motor.

Motor de reacción

Se expulsa aire caliente.

Se succiona el aire.

cámara de combustión

Algo de aire pasa alrededor del motor, enfría y ofrece la mayor parte del empuje.

Qué es un avión de despegue vertical?

mayoría de los aviones necesitan una pista ra despegar. Estos, en cambio, pueden despegar n muy poca pista o incluso hacia arriba. primer avión de despegue vertical fue el za británico *Harrier*, construido 1966, que despegaba desde portaaviones. El avión ne cuatro toberas que rigen hacia abajo el empuje del otor para despegar en vertical.

ARRIBA Una vez en el aire, las toberas giran para impulsar el avión hacia delante.

¿SABÍAS QUE...?
El *Airbus A380* es gigantesco: su cola es tan alta como un edificio de siete plantas y sobre sus alas podrían aparcar 70 coches.

Fuselaje afilado

ARRIBA El *Concorde* volaba a unos 2.159 km/h, casi el doble de la velocidad del sonido.

¿Qué es un avión supersónico?

Un avión que vuela más rápido que la velocidad del sonido –1.224 km/h– es supersónico. El primer avión que rompió la barrera del sonido voló en 1947, y en 1976 el *Concorde* se convirtió en el primer avión de pasajeros supersónico. El *Concorde*, diseñado por ingenieros británicos y franceses, dejó de volar en 2003.

87

LA NAVEGACIÓN

Orientarse al recorrer grandes distancias suponía un problema para los viajeros hasta que se inventaron las herramientas de navegación. El astrolabio permite navegar calculando la posición de las estrellas en el cielo, y la brújula detecta el magnetismo terrestre e indica dónde están el norte y el sur. Descubre quién inventó el radar y cómo ayuda a los barcos a sortear los icebergs, cómo funciona el sónar y cómo con él se buscan objetos sumergidos, como peces, submarinos e incluso el monstruo del lago Ness. Averigua también por qué los satélites que orbitan alrededor de la Tierra son valiosas herramientas de navegación.

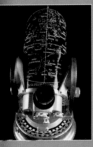

ÚTILES DE LA NAVEGACIÓN

| 1100 d. C. | 1470 | 1731 | 1757 | 1911 |
| Primera brújula magnética | Astrolabio adaptado para su uso en el mar | El octante permite orientarse en el mar | Se inventa el sextante | Se inventa la brújula giroscópica |

ÚTILES DE NAVEGACIÓN

¿Cómo se orientaban los marinos?

Para navegar es fundamental saber dónde estamos y hacia dónde nos dirigimos. Los astrónomos griegos utilizaron el astrolabio por primera vez en 200 a. C. para determinar la posición del Sol y las estrellas. Mucho después, hacia 1470, ese aparato se convirtió en un sencillo útil de navegación para los marinos, que se servían de él para medir la altura del Sol y así calcular la latitud del barco (su posición al norte o al sur respecto al ecuador).

astrolabio marino

El brazo giratorio con mirillas se alineaba con el Sol

puntero

escala circular

sextante antiguo

telescopio

DERECHA El sextante incorpora un telescopio para que los marinos tomen lecturas más precisas.

espejo

espejo

escala

¿Quién inventó el sextante?

El octante, un nuevo útil de navegación, fue inventado en 1731 al mismo tiempo en Inglaterra por John Hadley y en Estados Unidos por Thomas Godfrey. Era un instrumento más fiable para hallar la latitud, pues su lectura no se veía afectada por los movimientos del barco. Después, en 1757, el inglés John Campbell mejoró el octante e inventó el sextante, que tiene dos espejos para alinear la imagen del Sol, la Luna o las estrellas con el horizonte y medir el ángulo de altura entre ellos y así calcular la posición del barco en el mar.

Cuándo se inventó la brújula?

Tierra actúa como un imán gigante, con polos norte y magnéticos. Así, la aguja magnética de una brújula alinea siempre en posición norte-sur. Es probable que primeras brújulas magnéticas con aguja colgante fueran usadas por marinos chinos hacia 1100 d. C. Esas brújulas hicieron posible recorrer grandes distancias por el océano. Las brújulas modernas tienen dos o más agujas magnéticas que giran sobre un pivote central dentro de un recipiente lleno de líquido.

guja

IZQUIERDA Moderna brújula de mano

¿SABÍAS QUE...?

Como la Tierra es redonda, es difícil trazar un mapa de ella en papel. En 1569 el cartógrafo flamenco Gerardo Mercator ideó la forma de hacerlo con suficiente precisión como para que los barcos pudieran viajar a cualquier parte del mundo.

Qué es la brújula giroscópica?

brújula giroscópica marina, más precisa, inventada por el estadounidense Elmer erry en 1911. Esta brújula no funciona r magnetismo, sino que tiene una eda giratoria, el giroscopio, que antiene la aguja orientada al norte cluso con mar gruesa.

ECHA Los barcos dernos llevan a brújula oscópica ctrónica.

HITOS DE LA NAVEGACIÓN

1100 d. C.	1470	1731	1757	1911
Primera brújula	Astrolabio adaptado	El octante permite	Se inventa	Aparece la brújula
magnética	para su uso en el mar	orientarse en el mar	el sextante	giroscópica

RADAR

¿SABÍAS QUE...?
El gobierno británico contrató a Robert Alexander Watson-Watt para diseñar un «rayo mortal» de ondas de radio que derribara los aviones enemigos. Pero lo que inventó fue el radar.

¿Qué es el radar?

Radar significa «detección y medición de distancias por radio». El radar sirve para localizar objetos lejanos, como aviones o barcos, enviando potentes ondas de radio y analizando los ecos que retornan. Al rebotar la señal en un objeto, el radar es capaz de calcular exactamente dónde se encuentra, su tamaño, su forma, su velocidad y su dirección.

DERECHA Grandes antenas parabólicas emiten ondas de radio, y así detectan aviones que se encuentran a cientos de kilómetros.

¿Cuándo se inventó el radar?

El primer sistema de radar práctico fue inventado en 1935 por el físico escocés Robert Alexander Watson-Watt. Unos años antes había desarrollado un sistema para seguir los movimientos de las tormentas mediante señales de radio. Durante la Segunda Guerra Mundial el sistema de radar se usó para detectar aviones enemigos y alertar de bombardeos aéreos.

IZQUIERDA Los meteorólogos utilizan pantallas de radar para seguir las tormentas.

92

Las ondas de radio rebotan en el avión y vuelven a la antena.

Los controladores aéreos trabajan en la torre de control.

La antena de radar envía y recibe ondas de radio mientras va girando.

¿Cómo funciona el radar?

los aeropuertos, los sistemas de radar garantizan seguridad de todos los aviones. Un plato o antena de lar envía al cielo ondas de radio que, cuando rebotan un avión, vuelven a la antena y se analizan. Las ondas nbién generan un mensaje en un dispositivo llamado nspondedor que llevan la mayoría de los aviones. onces, un ordenador calcula la altura, la posición y la ocidad del avión a partir del tiempo que hayan tardado ondas de radio en regresar a la antena. Los controladores reos ven el avión como un punto en la pantalla de radar. lado aparece la información del transpondedor.

¿Quién utiliza el radar?

El radar es un buen instrumento de navegación. Los controladores aéreos guían con él el tráfico aéreo; en los barcos sirve para orientarse, sobre todo con mal tiempo o de noche, y para sortear peligros como otros barcos, rocas o icebergs. Los militares lo utilizan para localizar al enemigo y para apuntar o detectar misiles.

IZQUIERDA Pantalla de radar.

93

HITOS DE LA NAVEGACIÓN

| 1100 d. C. Primera brújula magnética | 1470 Astrolabio adaptado para su uso en el mar | 1731 El octante permite orientarse en el mar | 1757 Se inventa el sextante | 1911 Aparece la brújula giroscópica |

SÓNAR

¿Qué es el sónar?

Sónar significa «navegación y medición de distancias mediante sonidos». El sónar emite ondas submarinas de sonido para detectar barcos hundidos, rocas y cualquier objeto que pueda ser peligroso. Con la información del sónar los cartógrafos trazan mapas precisos del fondo marino que ayudan a los barcos a navegar con seguridad.

IZQUIERDA El sónar permite a los barcos detectar peligros sumergidos, como la parte de los icebergs que queda hundida.

ABAJO Los buques militares llevan sónares remolcados para detectar y seguir los movimientos de submarinos enemigos.

¿Cómo se inventó el sónar?

En 1915, durante la Primera Guerra Mundi el físico francés Paul Langevin inventó un sistema de escucha para detectar submarin Los científicos sabían que las ondas sonora a diferencia de las de luz o las de radio, viajan a gran velocidad y distancia por el agua, lo que las hacía perfectas para inspeccionar las profundidades marinas en busca de submarinos enemigos.

5	1935	1978	2005
ección	Radar para	El GPS es el primer sistema	Se lanzan los satélites
sónar	detectar aviones	de navegación por satélite	de navegación Galileo

El transpondedor sónar mide el tiempo que tarda un sonido en llegar al lecho marino y volver.

El barco emite ondas de sonido.

Los ecos rebotan en el pecio.

¿Cómo funciona el sónar?

Un dispositivo especial llamado transpondedor se fija al casco del barco. El transpondedor emite regularmente cada segundo sonidos de alta frecuencia, que viajan por el agua y rebotan en forma de eco al llegar al fondo marino o a un objeto sumergido, como un barco hundido. El transpondedor mide el tiempo que tardan los ecos en volver al barco. Con esa información, un ordenador calcula la profundidad del pecio y a qué distancia se encuentra del barco.

ABAJO Imagen de sónar en 3D de una cordillera submarina.

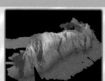

¿Quién lo utiliza?

Los transpondedores del sónar envían el resultado de la inspección a un ordenador, que procesa la información para mostrarla en pantalla. Los pescadores utilizan sencillos sistemas de sónar para medir la profundidad del fondo y la localización de los bancos de peces. Los de los cartógrafos son sónares multihaz que envían ondas hacia abajo, adelante y a los lados para crear mapas tridimensionales del lecho marino.

¿SABÍAS QUE...?
En 2003, la televisión británica inspeccionó, para un documental, el ago Ness, en Escocia, con 600 haces de sónar. Querían demostrar que Nessie, el monstruo del lago Ness, no existe.

HITOS DE LA NAVEGACIÓN

1100 d. C.	1470	1731	1757	1911
Primera brújula magnética	Astrolabio adaptado para su uso en el mar	El octante permite orientarse en el mar	Se inventa el sextante	Aparece la brújula giroscópica

NAVEGACIÓN POR SATÉLITE

¿Qué es la navegación por satélite?

La navegación por satélite consiste en orientarse gracias a las señales de radio emitidas por una red de satélites que orbitan alrededor la Tierra y determinan la posición exacta de un receptor electrónico en cualquier lugar del planeta.
El sistema de navegación por satélite más conocido es el GPS. En 1978 las Fuerzas Aéreas estadounidenses desarrollaron la red de satélites GPS para apuntar con precisión sus misiles. Hoy día el Departamento de Defensa sigue controlando la red GPS, pero todos pueden utilizar gratis la tecnología. En 2005 la Unión Europea empezó a desplegar sus propios satélites para crear la red Galileo.

¿SABÍAS QUE...?
Algunos móviles tienen tecnología GPS y muestran en pantalla mapas que indican el camino a un destino seleccionado. El GPS da indicaciones detalladas, visuales y auditivas, incluso por teléfono.

Cada satélite transmite señales de radio desde el espacio, detallando su posición y la hora exacta del envío de la señal.

¿Cómo funciona el GPS?

La red GPS utiliza 24 satélites que orbitan alrededor de la Tierra, a unos 17.600 kilómetros. Esos satélites tienen relojes atómicos de alta precisión y emiten señal de radio que recogen las antenas de los receptores GPS en la Tierra. El receptor compara cuánto tardan en lleg las señales de cuatro satélites diferentes y, a partir de es información, calcula su posición exacta.

5	1935	1978	2005
ección	Radar para	El GPS es el primer sistema	Se lanzan los satélites
sónar	detectar aviones	de navegación por satélite	de navegación Galileo

Quién usa la navegación GPS?

navegación GPS es muy útil cuando
viaja en coche, barco o avión.
sistema de navegación de los
ches indica al conductor qué
rreteras debe tomar para llegar
n destino específico. En una
ntalla colocada en el salpicadero
arece un mapa. Los receptores GPS
mano son ideales para escaladores
lpinistas que se encuentran en zonas
notas, y se están desarrollando sistemas
°S parlantes para ayudar a las personas invidentes.

El receptor del
barco calcula
su posición
comparando la
distancia entre
la embarcación y
cuatro satélites.

DERECHA Las indicaciones
del mapa sitúan el coche
y muestran la dirección
que tiene que tomar el
conductor para llegar al
lugar adonde va

¿Por qué los pescadores usan el GPS?

Muchos pescadores planean las expediciones de pesca
consultando mapas y tablas para calcular las rutas de
migración y alimentación de los peces. Pero si ubican esos
lugares con equipos GPS, pueden llegar a ellos
incluso con niebla o mal tiempo. Cuando
encuentran un buen caladero, pueden
guardar su posición en su GPS en lugar
de recurrir a boyas, que otros pescadores
podrían ver también.

IZQUIERDA El GPS determina
tu posición a partir de las
señales de cuatro satélites.

97

EL ESPACIO

Desde nuestras primeras observaciones del espacio con los antiguos telescopios hasta los modernos viajes espaciales, los inventos han sido la vía para descubrir más cosas sobre el universo que nos rodea. Descubre dónde está el telescopio Hubble, cómo vuelan los cohetes y por qué los satélites permanecen en órbita alrededor de la Tierra. Conoce a los astronautas que se desplazan por el espacio exterior alrededor de sus transbordadores o pasan varios meses en estaciones espaciales. Lee sobre las sondas espaciales que viajan al espacio para investigar zonas inexploradas del universo.

HITOS DEL ESPACIO

1608 d. C.	1926	1957	1961	1962
Primer telescopio refractor	Primer cohete de combustible líquido	Un cohete lanza el primer satélite	Primera cápsula espacial con éxito	Una sonda espacial llega a otro planeta

TELESCOPIOS

¿Quién inventó el telescopio?

El óptico holandés Hans Lippershey fabricó el primer telescopio refractor en 1608. Comprobó que, al mirar a través de dos lentes, una en cada extremo de un tubo, los objetos lejanos se veían más grandes. En 1609 el científico italiano Galileo Galilei estudiaba el cielo nocturno con un telescopio similar. Trazó el mapa de la superficie de la Luna y descubrió las cuatro lunas de Júpiter.

IZQUIERDA Galileo Galilei con su telescopio.

¿Cómo funciona un telescopio refractor?

En un telescopio refractor son espejos los que ayudan a los astrónomos a ver mejor estrellas y planetas lejanos. El científico inglés Isaac Newton diseñó y construyó el primer telescopio refractor en 1668. El aparato recoge la luz emitida por un objeto en un espejo cóncavo situado en un extremo, y ese espejo refleja los rayos en otro plano colocado en ángulo para formar una imagen. Una lente amplía la imagen en el ocular.

> **¿SABÍAS QUE...?**
> Algunos de los mayores telescopios reflectores del mundo están en la isla de Hawaii (Estados Unidos). El doble telescopio Keck, de 9,1 metros, se encuentra a 3.962 metros, sobre el Mauna Kea, un volcán inactivo.

DERECHA Telescopio reflector de Newton.

lente

ocular

espejo cóncavo

rayos de luz

Interior de un telescopio reflector

espejo plano

Qué es un radiotelescopio?

n un radiotelescopio y ordenadores,
astrónomos detectan ondas de radio y
an imágenes de objetos lejanos. Además
ondas de radio, los objetos del espacio,
no agujeros negros y galaxias, emiten
vos gamma, infrarrojos, ultravioletas y
vos X, que son invisibles pero pueden
tectarse mediante un telescopio especial.
atmósfera bloquea la mayoría de esas
das, y por eso se suelen observar desde
élites artificiales, fuera de la atmósfera.

antena

ARRIBA El radiotelescopio de Arecibo (Puerto Rico) tiene un único plato gigante que recoge y las ondas de radio del espacio y las dirige hacia una antena receptora.

Dónde está el telescopio Hubble?

telescopio *Hubble* se lanzó a 600 km de la
rra en 1990, y aún sigue en su órbita por el
vacio. Este enorme telescopio funciona como
telescopio reflector ordinario, pero ofrece
ayor nitidez. Fuera de la atmósfera de la
rra, es capaz de obtener precisas imágenes
l universo a más de 12.000 millones de años
z. El *Hubble* ha permitido a los astrónomos
alizar increíbles descubrimientos sobre los
ujeros negros y sobre cómo las estrellas se
rman y mueren.

ARRIBA Telescopio espacial *Hubble*.

DERECHA Galaxia en espiral vista con el *Hubble*.

101

HITOS DEL ESPACIO

| 1608 d. C. | 1926 | 1957 | 1961 | 1962 |
| Primer telescopio refractor | Primer cohete de combustible líquido | Un cohete lanza el primer satélite | Primera cápsula espacial con éxito | Una sonda espacial llega a otro planeta |

COHETES

IZQUIERDA Los cohetes llevan al espacio a astronautas, satélites o equipos de investigación.

La plataforma e lanzamiento su el cohete hasta que despega.

Cuál fue el primer cohete?

Los chinos crearon los primeros cohetes de pólvora hace unos mil años para utilizarlos como fuegos artificiales o armas. En 1926 el científico estadounidense Robert Goddard construyó el primer cohete de combustible líquido: una mezcla de gasolina y oxígeno.

¿Qué es un cohete espacial?

Un cohete espacial es un motor cilíndrico lo bastante potente como para vencer la gravedad de la Tierra y llevar objetos al espacio. Los cohetes espaciales llevan enormes cantidades de combustible, que, al arder, produce un chorro de gases calientes que elevan el cohete del suelo. El primer cohete lo bastante potente como para llegar al espacio fue un arma que el ingeniero alemán Werhner von Braun diseñó en 1942.

ABAJO El cohete V-2 de Von Braun, no tripulado, se utilizó para bombardear Inglaterra durante la Segunda Guerra Mundial.

Cómo vuela un cohete?

ando hinchas un globo y lo eltas sin atarlo, el chorro de e que sale lo lanza hacia lante. Así es como un cohete le volando hacia el espacio. n cohete quema combustible n oxígeno líquido para tener un potente chorro de ses calientes que sale por la se del aparato y lo eleva a an velocidad.

La punta afilada corta el aire.

La carga útil es lo que transporta el cohete: astronautas o carga.

sistema de guía del cohete

combustible líquido

oxígeno líquido

bombas

El combustible arde en el motor de combustión.

Las aletas estabilizan el cohete en vuelo.

toberas de escape

¿SABÍAS QUE...?
El *Saturno V*, que llevó la nave estadounidense Apolo a la Luna, ha sido uno de los cohetes más grandes. Era tan alto como un rascacielos de 30 pisos y tan potente como 150 aviones jumbo.

no Los cohetes espaciales están mados de varias etapas, piezas e se desprenden cuando se les ota el combustible.

La tercera etapa pone en órbita la carga. Una vez lanzado el satélite o la nave, el cohete ya ha hecho su trabajo.

Después entran en funcionamiento los motores de la segunda etapa, que queman combustible líquido.

La primera etapa contiene el combustible sólido que arde para elevar el cohete.

¿Qué puso en órbita el primer cohete?

El primer cohete que puso un objeto en órbita fue lanzado por la Unión Soviética en 1957. Llevaba el primer satélite espacial, el *Sputnik 1*. En la década de 1960 científicos soviéticos y americanos desarrollaron los cohetes multietapa, que pusieron en órbita alrededor de la Tierra naves tripuladas. Las diferentes etapas tenían su propio motor y depósitos de combustible y oxígeno, lo que aumentaba la capacidad del cohete.

103

HITOS DEL ESPACIO

1608 d. C.	1926	1957	1961	1962
Primer telescopio refractor	Primer cohete de combustible líquido	Un cohete lanza el primer satélite	Primera cápsula espacial con éxito	Una sonda espacial llega a otro planeta

SATÉLITES

¿SABÍAS QUE...?
Los viejos satélites y piezas de cohete se quedan flotando en el espacio. Se calcula que hay unas 70.000 piezas de «basura espacial» en órbita al rededor de la Tierra.

¿Cuándo se inventó el primer satélite?

Un satélite es cualquier cosa que orbita, es decir, que da vueltas en el espacio alrededor de un objeto más grande, como la Luna alrededor de la Tierra. El primer satélite artificial, el *Sputnik I*, lo lanzaron científicos soviéticos en 1957. Una vez en órbita, este sencillo satélite medía la temperatura de la atmósfera terrestre y enviaba la información mediante señales de radio.

ARRIBA, DERECHA
Satélite *Sputnik I*.

ABAJO La velocidad de traslación del satélite compensa la atracción de la gravedad y permite que mantenga la órbita.

¿Cómo se mantienen en órbita?

La mayoría de los satélites siguen órbitas circulares a pocos cientos de kilómetros de la Tierra. La gravedad es casi tan fuerte allí como en la superficie y no deja de atraer al satélite hacia el centro de la Tierra. Sin embargo, debido a su movimiento de traslación y a la curvatura de la Tierra, el satélite da siempre vueltas a la misma altura. Incluso satélites que están a miles de kilómetros se mantienen en órbita gracias a la gravedad de nuestro planeta.

Cómo funciona un satélite?

a mayoría de los satélites están opulsados por paneles solares e convierten la luz del sol en ectricidad. El satélite gira y se ueve mediante pequeños cohetes. nos sensores comprueban que esté en orientado. Todos los satélites enen antenas de comunicaciones transmisores y receptores de dio para recibir señales y viar mensajes a la estación se en la Tierra. Y llevan strumentos, según la función la que estén destinados.

ABAJO Las estaciones terrestres envían y reciben las señales mediante grandes antenas orientadas hacia el espacio.

paneles solares

satélite de comunicaciones

satélite meteorológico

transmisor y receptor de radio

antena de comunicaciones

DERECHA Un satélite meteorológico lleva cámaras con las que saca fotos de las formaciones de nubes, como este huracán, para enviarlas a las estaciones meteorológicas.

¿Para qué sirven los satélites?

En el espacio hay varios tipos de satélites, cada uno con funciones distintas. Además de los satélites meteorológicos, hay satélites de comunicaciones, que transmiten las señales de televisión y teléfono. Algunos satélites envían fotografías que se utilizan para hacer mapas. Otros ofrecen información sobre la Tierra y el universo para realizar investigaciones científicas. Los satélites de navegación ayudan a las personas a orientarse y determinar su situación exacta.

105

HITOS DEL ESPACIO

| 1608 d. C. | 1926 | 1957 | 1961 | 1962 |
| Primer telescopio refractor | Primer cohete de combustible líquido | Un cohete lanza el primer satélite | Primera cápsula espacial con éxito | Una sonda espacial llega a otro planeta |

NAVES

¿Qué es una cápsula espacial?

Una cápsula espacial es una nave diseñada para llevar astronautas que se lanza al espacio con un cohete. Para el viaje de regreso, la cápsula tiene un escudo térmico, que protege a los ocupantes de las altas temperaturas al penetrar en la atmósfera de la Tierra a gran velocidad. La cápsula lleva paracaídas para frenar y puede caer en tierra o en el mar. La Unión Soviética construyó la primera cápsula espacial en 1961 para transportar al astronauta ruso Yuri Gagarin. Fue la primera persona que vio la Tierra desde el espacio.

DERECHA Yuri Gagarin dio una vuelta a la Tierra en la cápsula espacial *Vostok I*. El viaje duró casi dos horas.

¿Qué nave se posó primero en la Luna?

En 1969 astronautas estadounidenses llegaron a la Luna en la nave *Apolo XI*. Neil Armstrong y Edwin «Buzz» Aldrin dejaron la nave orbitando alrededor de la Luna y bajaron a la superficie en un pequeño módulo lunar.

ABAJO Armstrong y Aldrin fueron los primeros en caminar sobre la Luna.

¿SABÍAS QUE...?
Los científicos inventaron trajes protectores para que los astronautas del primer vuelo del transbordador espacial los usaran en paseos espaciales. Los llevan fuera de la nave para reparar satélites o mantener el telescopio espacial Hubble.

módulo lunar

ransbordador lleva a
erripulación y la carga
espacio y los trae
vuelta a la Tierra.
usa para
ias misiones.

...bordador?

...s naves
...ansportada
...pero los
...tas y equipos
...es o lanzar
satélites y después regresan a la Tierra y se pueden
volver a usar. Estados Unidos lanzó el primer
transbordador, el *Columbia*, en 1981.

El depósito de
combustible se quema
y hay que cambiarlo.

ABAJO El transbordador se
lanza como un cohete, en el
espacio funciona como una
nave y, de vuelta a la Tierra,
plunea como un avión.

Para el despegue se
aplican dos propulsores de
combustible sólido que se
reciclan para otras misiones.

¿Cómo se reutiliza un transbordador?

Al transbordador se le colocan nuevos depósitos de
combustible para cada misión. En el despegue, dos
propulsores de combustible sólido lo lanzan. Cuando se
agota el combustible, se sueltan y caen en paracaídas
al mar, donde se recuperan para volver a utilizarlos.
Después se suelta el tanque de combustible líquido, que
se quema en la atmósfera. El transbordador pone en
órbita equipos y a astronautas. Al regresar, aterriza en
una pista como un avión gigante.

107

HITOS DEL ESPACIO

1608 d. C.	1926	1957	1961	1962
Primer telescopio	Primer cohete de	Un cohete lanza	Primera cápsula	Una sonda espacial
refractor	combustible líquido	el primer satélite	espacial con éxito	llega a otro planeta

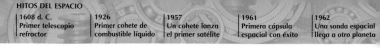

ESTACIONES

¿SABÍAS QUE...?
Una estación espacial es un entorno
sin gravedad, lo que supone que
los astronautas tienen que comer
y beber en recipientes cerrados
especiales para que la comida
no se vaya flotando por
el aire.

¿Cuál fue la primera estación espac

En 1971 la Unión Soviética lanzó la primera
estación espacial: *Salyut 1*. Era un laboratorio
de investigación diseñado para orbitar en el
espacio en torno a la Tierra. Tres astronautas
viajaron a la estación en la nave *Soyuz II*. La
tripulación estableció el récord de permanenc
en el espacio al vivir a bordo 22 días. Despué
de cinco meses en el espacio, la estación cay
a la Tierra y se quemó al entrar en la atmósfe

ABAJO La *Soyuz II* acoplada a la *Salyut 1*

¿Cuántas estaciones espaciales ha habido?

Los rusos pusieron en órbita seis estaciones
Salyut entre 1971 y 1982. Estados Unidos
lanzó el *Skylab* en 1973. En 1986
los rusos lanzaron una estación
espacial más grande llamada
Mir. Todas ellas han caído
ya a la Tierra o se han
desmantelado una
vez terminada
su vida útil.

DERECHA
El transbordador
estadounidense
Atlantis se
acopla a
la estación
espacial
rusa *Mir*.

paneles solares

oratorio de vestigación

 RIBA La ISS, que estará mpletada en 2010, será mayor estación espacial más construida.

DERECHA Científicos de varios países realizan experimentos en los laboratorios de la Estación Espacial Internacional.

¿Qué es la ISS?

En 1998 varios países cooperaron para diseñar la Estación Espacial Internacional, o ISS por sus siglas en inglés. La ISS es tan grande que tuvo que construirse por piezas y ensamblarse en el espacio. La estación dispone de grandes paneles solares en forma de alas que recogen la energía del sol para alimentar los aparatos a bordo. Hay un generador de oxígeno para que los astronautas puedan respirar y otros sistemas depuran el agua. Las naves con nuevos tripulantes y equipos se acoplan a la estación mediante puertos de acoplamiento.

ABAJO Astronauta en un «paseo espacial».

Para qué se sirven?

los laboratorios de las estaciones paciales los astronautas llevan a cabo vestigaciones científicas. Desde el pacio es más fácil estudiar el universo observar el clima de la Tierra. Unos entíficos investigan cómo afecta al uerpo humano vivir sin gravedad, donde do flota por el aire, y otros prueban ateriales que podrían utilizarse para onstruir naves capaces de llevar a ersonas a otros planetas, como Marte.

109

HITOS DEL ESPACIO

1608 d. C.	1926	1957	1961	1962
Primer telescopio refractor	Primer cohete de combustible líquido	Un cohete lanza el primer satélite	Primera cápsula espacial con éxito	Una sonda espacial llega a otro planeta

SONDAS ESPACIALES

¿Quién construyó la primera sonda?

La *Lunik 1* fue la primera sonda espacial. Era rusa y se lanzó en 1959, pero no alcanzó su objetivo, la Luna. Las sondas espaciales son naves no tripuladas que se lanzan al espacio para que sobrevuelen, orbiten o aterricen en planetas y recojan información sobre ellos. En 1962 la sonda estadounidense *Mariner 2* sobrevoló Venus, convirtiéndose en la primera nave que llegaba a otro planeta.

DERECHA La sonda *Mariner 2* exploró el planeta Venus.

Venus

¿Para qué se usan las sondas?

Las sondas llevan modernos equipos e instrumentos científicos para obtener datos sobre planetas lejanos. Cuando la nave llega a su destino, los equipos se conectan y empiezan a tomar fotografías, a realizar mediciones y a obtener información, que se transmite a los científicos que están en la Tierra. Excepto Plutón, el planeta más alejado del Sol, todos los demás planetas del sistema solar han sido ya explorados.

Júpiter

antena para recibir y transmitir datos

IZQUIERDA La *Voyager 2* es la única sonda que se ha aproximado a cuatro planetas: Júpiter, Saturno, Urano y Neptuno.

¿Qué es la sonda *Cassini-Huygens*?

La sonda espacial *Cassini-Huygens* se lanzó
en 1997 para investigar el planeta Saturno. La
nave alcanzó su órbita en 2004. Una vez allí,
Cassini empezó a estudiar el planeta, sus
anillos y sus numerosas lunas. Después,
la sonda más pequeña, *Huygens*,
se soltó de la nave principal y
aterrizó con éxito en Titán,
el satélite más grande de
Saturno.

ABAJO La sonda espacial *Cassini-Huygens*,
una de las más grandes jamás construidas,
es como un autobús de 30 plazas.

Saturno

Neptuno

¿Adónde llegan las sondas?

Como no llevan astronautas a bordo,
los científicos pueden arriesgarse a enviar
sondas al espacio exterior para investigar
partes inexploradas del universo. La primera
sonda que salió del sistema solar fue la
Pioneer X, en 1983. Sondas como esta viajan
muchos años y recorren millones de
kilómetros. Nadie sabe a ciencia cierta qué
podrían descubrir.

¿SABÍAS QUE...?
Stardust fue la primera sonda
espacial que recogió y trajo
muestras de polvo de un
cometa. Lo hizo en
enero de 2006
y los científicos
creen que
los pequeños
fragmentos se
formaron hace
4.500 millones
de años.

Urano

111

LAS ARMAS

Desde la invención de las flechas y el arco de
madera, las armas han recorrido un largo camino.
Las ametralladoras y los misiles guiados por láser son
sólo dos de los tipos de armas de guerra y máquinas
desarrollados para las acciones militares. Descubre
cuándo se inventaron los chalecos antibalas y cómo
las bombas pueden evitar inundaciones. Averigua por
qué los tanques se desplazan mediante orugas, qué
aviones militares pueden volar sin piloto, cuántos cazas
transporta un portaaviones y la ingeniosa tecnología
que se aplica en los modernos torpedos
para que localicen su objetivo.

HITOS DE LAS ARMAS

1400 a. C.	400 a. C.	1250 d. C.	1350	1500
La armadura más	Se inventa	Se inventa el arco	Aparece el primer	Primer barco
antigua conocida	la ballesta	largo de guerra	cañón de mano	de guerra a vela

ARCOS y FLECHAS

rocas

ARRIBA En la catapulta
romana, el brazo se
accionaba para lanzar
rocas.

¿Para qué sirvieron las primeras armas?

Las primeras armas sencillas fabricadas en la antigüedad
se utilizaban para cazar. Alrededor de 400.000 a. C. se
hacían en Europa afiladas lanzas de madera para cazar
grandes mamuts. Hacia 30.000 a. C. cazadores
africanos habían inventado el arco y las flechas
para cazar animales que escapaban al alcance
de sus lanzas. Una de las primeras armas
de guerra fue una catapulta gigante con
una cuerda tensa con la que se lanzaban
rocas en lugar de flechas. Hacia 400 a. C.,
con esas catapultas, soldados griegos y
romanos arrojaban rocas sobre el enemigo
a distancias de hasta 300 metros.

¿Dónde se inventó el arco largo

El arco largo se inventó en Gales (Reino
Unido) en el siglo XIII. Esta versión
larga del arco corto tradicional
era un arma más potente,
capaz de lanzar flechas más
lejos: hasta 200 m. En
combate, los arqueros
cargaban rápidamente
sus arcos para lanzar
andanadas de flechas
sobre sus enemigos.

IZQUIERDA Un arquero moderno con una
réplica de arco largo. Apoyado en el suelo,
el arco largo es tan alto como la persona
que lo dispara.

114

SABÍAS QUE...?
uando estaban bajo fuego enemigo, los
rupos de soldados romanos unían sus
scudos para protegerse de las flechas. Esta
ctica se llamaba formación en tortuga.

CHA La ballesta
a potente
a de gran
nce.

¿Cuándo se inventó la ballesta?

Las primeras ballestas, de madera, se fabricaron
en Grecia hacia 400 a. C. y se apoyaban en
el suelo para dispararlas. Desde el siglo XV el
arquero apunta y dispara la ballesta como un rifle,
apoyándosela en el hombro. Las ballestas modernas
suelen ser de fibra de vidrio y disparan flechas de
aluminio llamadas virotes.

Cómo dispara la ballesta sus proyectiles?

a ballesta funciona como si fuera un arco
eto de lado. Al tensar la cuerda, esta almacena
energía que impulsa el virote. Primero se sujeta
cuerda con un pestillo. Después se coloca el
yectil en la ranura, y ya está listo para
pararlo. Una vez cargada la ballesta, el arquero
unta con la mirilla y aprieta el gatillo para
ar la cuerda y lanzar el virote hacia el blanco.

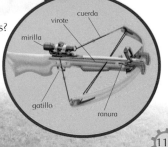

cuerda
virote
mirilla
gatillo
ranura

HITOS DE LAS ARMAS

| 1400 a. C.
La armadura más
antigua conocida | 400 a. C.
Se inventa
la ballesta | 1250 d. C.
Se inventa el arco
largo de guerra | 1350
Aparece el primer
cañón de mano | 1500
Primer barco
de guerra a vela |

FUSILES

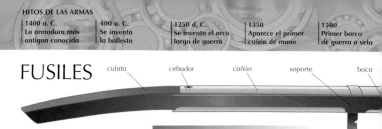

culata   cebador   cañón   soporte   boca

¿Cuál fue el primer fusil?

Los primeros fusiles, llamados cañones de mano, se inventaron en Europa hacia 1350, después de que en 950 se descubriera la pólvora en China. Eran lo bastante ligeros como para transportarlos, pero demasiado grandes y pesados como para cargarlos y disparar sin apoyarlos el suelo. Los cañones de mano se cargaban introduciendo en el cañón pólvora y una piedra redonda o una bola de plomo llamada tiro. Para disparar el tiro, el soldado prendía la pólvora introduciendo un cable caliente por el cebador del cañón.

¿Qué es un rifle?

Un rifle es un fusil con un largo cañón que se dispara apoyándolo en el hombro. Tiene el ánima en espiral para que las balas giren y así alcancen su objetivo con mayor precisión a grandes distancias. La creación del rifle parte de una idea del siglo XV: los arqueros retorcían las plumas de las flechas para mejorar su direccionalidad.

IZQUIERDA Al principio los rifles fueron sólo armas militares, pero hoy se usan para cazar y en competiciones de tiro.

116

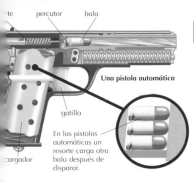

percutor bala

Una pistola automática

gatillo

En las pistolas automáticas un resorte carga otra bala después de disparar.

cargador

¿Cómo funciona una pistola?

Las armas modernas, como esta pistola automática, disparan rápidamente las balas de un depósito extraíble llamado cargador. Un cargador es una caja que contiene balas y casquillos con pólvora. Al accionar el gatillo se libera un resorte que lanza el percutor contra el detonante, en la base del casquillo. Entonces prende la pólvora, que, al explotar, expulsa la bala a gran velocidad.

Quién inventó la ametralladora?

rum Maxim fabricó la primera ametralladora rigerada por agua en 1884 en Estados Unidos, su invento cambió el curso de la Primera Guerra undial. Esta mortal arma aprovechaba la fuerza retroceso de la ametralladora para expulsar la la gastada y cargar otra. Como la ametralladora recargaba automáticamente, los soldados podían sparar con rapidez ráfagas de balas manteniendo retado el gatillo. Muchas ametralladoras se mentan con cintas de munición, largas tiras de las que se introducen rápidamente en el arma. casquillo vacío cae al suelo cuando se spara la bala.

¿SABÍAS QUE...?
Muchos cuerpos de policía tienen pistolas eléctricas. Disparan dardos con cables que asestan una descarga eléctrica para reducir a los cacos.

HITOS DE LAS ARMAS

1400 a. C.	400 a. C.	1250 d. C.	1350	1500
La armadura más antigua conocida	Se inventa la ballesta	Se inventa el arco largo de guerra	Aparece el primer cañón de mano	Primer barco de guerra a vela

ARMADURAS

¿Por qué se usaban las armaduras?

Los soldados empezaron a ponerse armadura para protegerse de las espadas, lanzas y flechas. Los soldados chinos fueron de los primeros en llevar armadura: era en torno al año 1110 a. C. y estaban hechas de gruesa piel de rinoceronte. En el siglo XIV los caballeros medievales usaban pesados yelmos y armaduras de placas metálicas sujetas con correas de piel y hebillas. Las uniones se protegían con cota de malla, una tela de metal hecha con anillas engarzadas, a veces unida a un forro de piel.

¿SABÍAS QUE...?
Las armaduras eran muy pesadas (unos 30 kg) y daban mucho calor al caballero mientras luchaba.

IZQUIERDA Caballero medieval y su caballo vestidos para el combate con su armadura metálica.

ABAJO Al impactar en las distintas capas de un chaleco antibalas, reforzado con placas de metal o cerámica, las balas se aplastan y acaban deteniéndose.

¿Cuándo se inventó el chaleco antibalas?

En 1971 la empresa de productos químicos DuPont desarrolló un material especial llamado Kevlar para fabricar chalecos antibalas. El Kevlar es un tipo de plástico flexible cinco veces más resistente que el acero. Estas «armaduras» modernas protegen a policías y soldados frente a heridas de arma blanca o de fuego. Los chalecos evitan que mueran, pero no que sufran heridas.

24 construye el mer submarino | 1915 Primer avión de combate | 1916 Se inventa el carro de combate | 1945 Se lanza la primera bomba atómica | 1981 El bombardero invisible

puchu
otectora
máscara
de gas
guantes

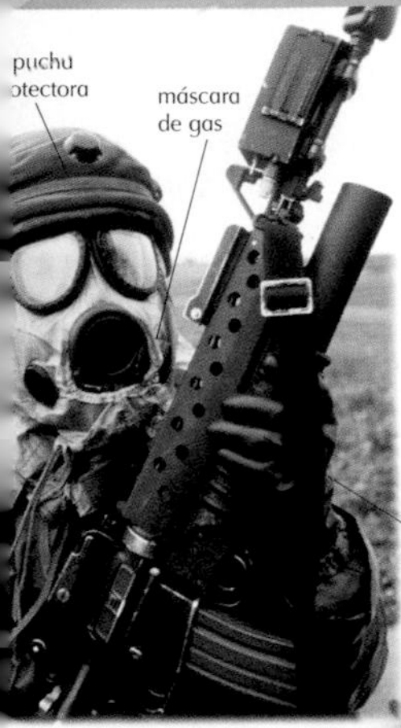

¿Qué es un traje de protección química?

Los trajes de protección química protegen a los soldados de ataques químicos, biológicos o con gases venenosos. Estos trajes están hechos de un ligero tejido especial que evita que penetren gases y agentes químicos. Los soldados también llevan máscaras con un respirador que filtra los gases o productos químicos, lo que les permite respirar.

IZQUIERDA Los soldados se ponen trajes de protección cuando existe amenaza de ataque químico o biológico.

ABAJO Los bomberos de las fuerzas aéreas usan trajes ignífugos para apagar las llamas después de un ataque aéreo.

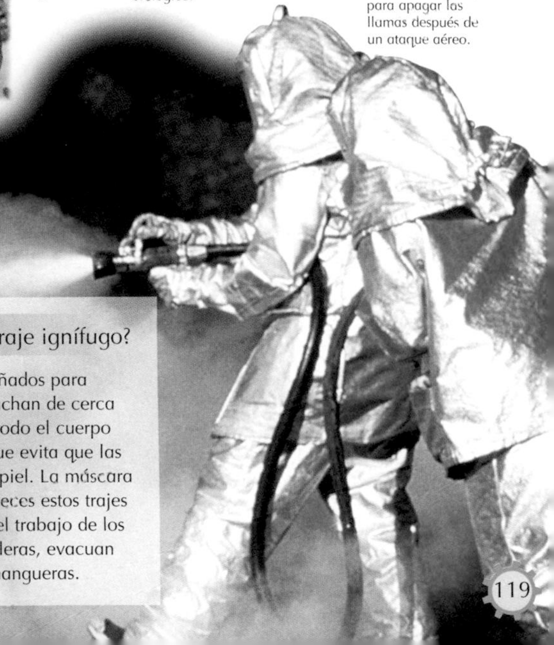

¿Cómo funciona un traje ignífugo?

.os trajes ignífugos están diseñados para roteger a las personas que luchan de cerca :ontra los incendios. Cubren todo el cuerpo ' están hechos de un tejido que evita que las lamas y el calor alcancen la piel. La máscara)rotege la cara del humo. A veces estos trajes on pesados, lo que dificulta el trabajo de los)omberos cuando suben escaleras, evacuan reridos o manejan pesadas mangueras.

HITOS DE LAS ARMAS

1400 a. C.	400 a. C.	1250 d. C.	1350	1500
La armadura más	Se inventa	Se inventa el arco	Aparece el primer	Primer barco
antigua conocida	la ballesta	largo de guerra	cañón de mano	de guerra a vela

BOMBAS

¿Qué es una bomba?

Una bomba es un recipiente lleno de material
explosivo con un dispositivo, llamado detonador,
que lo hace estallar. Las bombas están diseñadas
para lanzarlas desde aviones y que exploten al
chocar contra el suelo. En 1849 Austria lanzó las
primeras bombas aéreas desde globos no tripulados.
50 años después, en la Primera Guerra Mundial,
tropas alemanas realizaron bombardeos aéreos sobre
Inglaterra con aeronaves dirigibles.

ARRIBA Los bombarderos *Zeppelin*
erraban con frecuencia sus
objetivos militares.

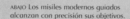

ABAJO Los misiles modernos guiados
alcanzan con precisión sus objetivos.

¿Cuándo se inventaron los misiles guiados?

A finales de la Segunda Guerra Mundial Alemania lanzó la
bomba cohete *V-2*. El misil volaba hasta el límite del espacio
hasta que su motor se apagaba, y después caía describiendo
una parábola, como una bola lanzada. Los misiles guiados
se parecen más a pequeños aviones no tripulados.
Un mapa informático los dirige hacia su objetivo.
Desde la década de 1960 se han fabricado
lanzamisiles portátiles, que disparan un cohete
con sensores infrarrojos que persigue el calor
del motor de los aparatos enemigos.

¿Quién inventó la bomba atómica?

urante la Segunda Guerra Mundial científicos
e Estados Unidos y Gran Bretaña fabricaron una
omba atómica. El físico nuclear estadounidense
Robert Oppenheimer dirigió al equipo. La primera
omba atómica se lanzó sobre la ciudad japonesa
e Hiroshima el 6 de agosto de 1945 y mató a
0.000 personas. Tres días después se lanzó otra
a Nagasaki que mató a unas 70.000. Decenas de
iles de personas más murieron por cánceres y
ras enfermedades debidas a la radiación de las
plosiones. Esta arma de destrucción masiva
cabó con la guerra, pero a un alto precio.

RECHA La explosión de una bomba atómica
nera una nube en forma de hongo.

SABÍAS QUE...?
A veces se lanzan bombas
obre presas de hielo que
en invierno se forman en
grandes ríos. Las bombas
liminan la obstrucción
 así se evitan graves
nundaciones.

¿Qué es una bomba inteligente?

Las bombas inteligentes son misiles guiados por
láser diseñados para lanzar ataques más precisos
y reducir el riesgo de matar a personas inocentes.
El piloto del bombardero o soldados en tierra
apuntan al objetivo con un rayo láser para guiar
los misiles a su destino. Cuando el láser se fija
sobre su posición, el misil determina su objetivo,
y puede seguir incluso un blanco móvil.

Un avión lanza el misil
en la zona en que se
refleja el láser.

Soldados en tierra
apuntan el láser
hacia el objetivo.

121

HITOS DE LAS ARMAS

1400 a. C.	400 a. C.	1250 d. C.	1350	1500
La armadura más	Se inventa	Se inventa el arco	Aparece el primer	Primer barco
antigua conocida	la ballesta	largo de guerra	cañón de mano	de guerra a vela

TANQUES

¿SABÍAS QUE...?
Los primeros tanques daban tales sacudidas que los soldados se veían obligados a llevar prendas acolchadas para no acabar llenos de cardenales.

¿Cuál fue el primer carro blindado?

Los británicos inventaron el carro blindado en 1916, como arma secreta, durante la Primera Guerra Mundial. Se dijo a los trabajadores de la fábrica donde se hacían los armazones de metal que eran tanques de agua para el ejército, y por eso se llaman tanques. Los primeros tanques estaban cubiertos de placas de hierro remachadas y funcionaban con motores de tractor, que eran muy lentos. Esos vehículos estaban diseñados para moverse sobre orugas en terreno desigual e iban armados con cañones.

¿Por qué se inventaron los tanques?

En los campos de batalla de la Primera Guerra Mundial, la ametralladora comportó que la infantería (soldados a pie) cayera fácilmente ante el fuego enemigo. Los tanques se inventaron para enfrentarse a la mortal arma: avanzaban hacia el enemigo cruzando trincheras, aplastando cercas y destruyendo puestos de ametralladoras para abrir el camino que luego seguía la infantería.

ARRIBA El primer tanque era conocido como *Centipede*.

DERECHA Las orugas permiten superar todo tipo de obstáculos.

¿Cómo son los tanques modernos?

Los modernos carros de combate son pesados vehículos blindados con potentes motores que se mueven a velocidades de hasta 100 km/h en todo tipo de terrenos. Los tanques están cubiertos de gruesas planchas de acero que los protegen frente a disparos y minas enemigas, y son tan sólidos que pueden franquear barricadas. Están armados con un potente cañón que dispara misiles o con lanzallamas que expulsa chorros de líquido ardiendo.

ABAJO En el APC los soldados viajan protegidos de balas y emboscadas.

En el tanque

El artillero maneja el cañón principal y la radio.

¿Qué es un APC?

Los APC, siglas inglesas de transporte blindado de personal, están diseñados para transportar tropas al campo de batalla con seguridad. Estos vehículos blindados ligeros llevan hasta diez soldados superando terrenos desiguales e incluso agua. Los APC están armados con una sola ametralladora, ya que no son vehículos de ataque.

El cañón lanzamisiles y la ametralladora se sitúan en una torreta giratoria.

El conductor va sentado en el tanque bajo la torreta.

123

HITOS DE LAS ARMAS

| 1400 a. C. | 400 a. C. | 1250 d. C. | 1350 | 1500 |
| La armadura más antigua conocida | Se inventa la ballesta | Se inventa el arco largo de guerra | Aparece el primer cañón de mano | Primer barco de guerra a vela |

AVIONES DE GUERRA

¿Cuál fue el primer caza?

El primer caza de combate fue el *Fokker E. I* de 1915. Construido en Alemania durante la Primera Guerra Mundial, iba armado con ametralladoras y estaba diseñado para disparar las balas por entre las aspas de su hélice. El *Fokker D. VII* de 1918 maniobraba mejor.

ARRIBA *Fokker D. VII*

¿SABÍAS QUE...?
El bombardero más pesado del mundo es el estadounidense *Boeing B-52 Stratofortress*. Este enorme avión de gran autonomía de vuelo tiene ocho turborreactores y lleva cargas de hasta 1,5 veces su peso.

¿Para qué se inventó el caza?

Los cazas de combate se inventaron para atacar a otros aviones en vuelo mientras los bombarderos les disparaban desde el suelo. Durante la Segunda Guerra Mundial, cazas como el potente *Spitfire* británico y el reactor *Messerschmidt* alemán tuvieron un papel relevante en el combate. Los cazas modernos son relativamente pequeños y capaces de maniobrar con gran rapidez. Los mejores rompen la barrera del sonido.

IZQUIERDA Un grupo de cazas estadounidenses F/A-18C Hornets volando en formación.

¿Qué es un avión invisible?

ABAJO Los bombarderos invisibles llevan sus armas en el interior para evitar ser detectados por los radares enemigos.

El primer avión invisible, diseñado para no ser detectado por los radares enemigos, voló en 1981. El *Lockheed F-117A Nighthawk* estadounidense sobrevolaba el territorio enemigo y lanzaba bombas sin ser interceptado por los cazas enemigos. Los aviones invisibles se hacen con formas planas y materiales especiales que absorben las ondas de radar en lugar de reflejarlas. También utilizan motores fríos ocultos para no ser delatados por su calor.

Los aviones invisibles son oscuros para volar por la noche sin ser vistos.

Muchos cazas son monoplaza, con sitio para un solo piloto.

Los cazas de combate están armados con misiles y localizan el blanco mediante radar.

¿Qué son los UAV?

Un UAV (siglas en inglés de vehículo aéreo no tripulado) es un avión de guerra controlado a distancia desde estaciones base o con piloto automático. Para alcanzar sus objetivos, estos aviones se guían por mapas informáticos y sistemas de navegación por satélite. Los primeros UAV se construyeron en la década de 1950 para realizar tareas de vigilancia y llevaban cámaras, sensores y otros equipos. En la actualidad también se utilizan como aviones de combate y llevan bombas y misiles.

IZQUIERDA El UAV americano *Global Hawk* voló por vez primera en 1998. Este avión puede permanecer en el aire 35 horas sin repostar.

HITOS DE LAS ARMAS

| 1400 a. C. La armadura más antigua conocida | 400 a. C. Se inventa la ballesta | 1250 d. C. Se inventa el arco largo de guerra | 1350 Aparece el primer cañón de mano | 1500 Primer barco de guerra a vela |

BARCOS

ARRIBA *HMS Victory*

¿Cuál fue el primer barco de guerra?

Los primeros barcos de guerra se construyeron hacia 3000 a. C. Eran galeras impulsadas por remeros, pero también tenían velas. En el siglo XVIII un barco de guerra típico, como el famoso *HMS Victory* del almirante Nelson, tenía tres altos mástiles con grandes velas cuadradas. Este navío de guerra de 1765 iba armado con unos cien cañones que se disparaban desde tres cubiertas. Después de 1860 los barcos de guerra de madera fueron sustituidos por buques con casco de acero y motores de vapor.

¿Qué es un acorazado?

Los acorazados fueron los mayores buques de guerra hasta el desarrollo de los portaaviones. Los mayores acorazados desplazaban más de 65.000 toneladas, medían más de 250 m de eslora y llevaban tripulaciones de unos 3.000 marineros. Viajaban en el centro de la flota, acompañados de barcos más pequeños y rápidos. Sus enormes cañones estaban diseñados para bombardear la costa o barcos enemigos a distancias de hasta 46 km.

ABAJO Un acorazado estadounidense disparando sus cañones.

126

IERDA Los acorazados
n fuertemente armados.
lo general operan con
s barcos en grupos
nados flotas.

¿Quién inventó el portaaviones?

En 1914 el ejército británico construyó el primer
buque portaaviones para acercar aviones y
combustible por mar a las zonas de batalla.
Los portaaviones modernos son enormes bases
flotantes con pequeñas pistas para que los
cazas despeguen y aterricen, una torre de
control para comunicarse con los pilotos y
mecánicos que reparan los aviones.

ABAJO Los portaaviones
modernos transportan
hasta 100 aviones.

¿Cómo funcionan los dragaminas?

Los dragaminas son barcos que destruyen,
desactivan o retiran minas explosivas
colocadas en el mar por el enemigo. El
dragaminas remolca un objeto que corta
el ancla de las minas para retirarlas con
seguridad. Otros equipos emiten señales
como las de un barco para que la mina
explote sin producir daños. Los dragaminas
también hacen estallar las minas con
orpedos de corto alcance.

ABAJO El casco de un
dragaminas es de madera
o plástico, para que no
active el detonador de las
minas magnéticas.

Se arrastra por
el agua un
cable metálico
que corta el
cable de las
minas flotantes.

mina
anclada
en el fondo
marino

HITOS DE LAS ARMAS

| 1400 a. C. La armadura más antigua conocida | 400 a. C. Se inventa la ballesta | 1250 d. C. Se inventa el arco largo de guerra | 1350 Aparece el primer cañón de mano | 1500 Primer barco de guerra a vela |

SUBMARINOS

¿Cuándo se inventó el submarino?

El primer submarino se construyó en 1624 para el rey inglés Jacobo I. El aparato, inventado por el holandés Cornelius Drebbel, tenía una estructura de madera recubierta de piel engrasada impermeable. El submarino viajaba por el río Támesis impulsado por 12 remeros que iban sentados dentro. Unos tubos de aireación que flotaban en el agua le permitían mantenerse varias horas sumergido.

DERECHA
Los submarinos se usan para buscar y destruir barcos y otros submarinos.

¿Cómo se mueve un submarino?

El primer submarino militar moderno estaba impulsado por una combinación de motores diésel y eléctricos. Lo diseñó el inventor irlandés John P. Holland en 1901, y muchos submarinos aún funcionan así. Cuando navegan por la superficie, es el motor diésel el que mueve la hélice que los propulsa. Para navegar bajo el agua se utiliza un motor eléctrico. Desde 1954 muchos submarinos llevan motores nucleares, que les permiten permanecer ocultos bajo el agua sin repostar durante meses.

¿SABÍAS QUE...?
Pequeños submarinos civiles llamados sumergibles llevan a cabo tareas especiales, como explorar barcos hundidos o estudiar la vida marina.

Un submarino tiene un casco ahusado que hiende el agua fácilmente.

128

El periscopio permite al capitán ver qué ocurre en la superficie sin tener que emerger.

sala de control

camarotes

s aletas se inclinan ra emerger y mergirse.

sala de máquinas

hélice

¿Cómo funciona un submarino?

Los submarinos actuales tienen sólidos cascos de acero que resisten la presión del agua. Un submarino se sumerge llenando de agua unos depósitos de lastre a ambos lados del casco. Así, la nave se hace más pesada y se hunde. Para emerger, se introduce aire comprimido en los depósitos para expulsar el agua. Un submarino tiene dos o tres cubiertas divididas en secciones, que se cierran en caso de que se abra una vía de agua.

IZQUIERDA Los torpedos se lanzan con aire comprimido por unos tubos que hay en el proa y la popa del submarino.

Quién inventó el torpedo?

ingeniero inglés Robert Whitehead inventó torpedo autopropulsado en 1866. os mortales misiles subacuáticos eron usados por barcos de erra y después por submarinos litares para hundir los buques emigos. El arma de Whitehead nía una hélice movida por aire mprimido para impulsarla aletas móviles para rigirla en su yectoria.

La torreta de control contiene antenas de comunicaciones y el periscopio.

sala de torpedos

lanzatorpedos

lanzatorpedos

IZQUIERDA Los torpedos tienen sensores y se guían hasta el blanco desde el submarino mediante señales.

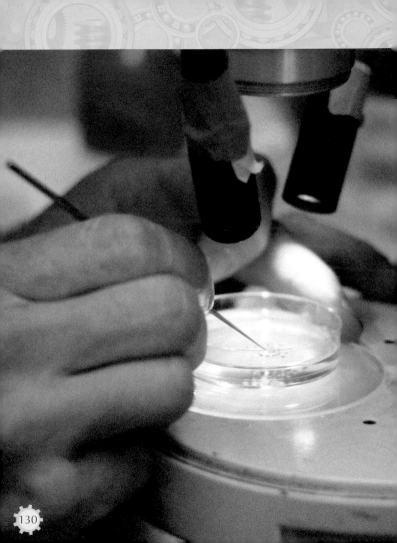

LA MEDICINA

Descubre de qué forma los inventos nos ayudan a mejorar nuestra salud. Conoce microscopios capaces de ampliar cientos de miles de veces las células de la sangre, y cómo las vacunas, inventadas gracias a una vaca, nos ayudan a luchar contra las enfermedades. Averigua cuándo se inventaron las gafas y qué equipos médicos de urgencia llevan las ambulancias. Aprende qué aparatos simulan los latidos del corazón, cómo los escáneres toman imágenes tridimensionales de tu interior y cómo los cirujanos operan con cámaras en miniatura.

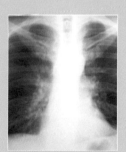

HITOS DE LA MEDICINA

| 1286 d. C. Primeras gafas para leer | 1592 Primer termómetro sencillo | 1683 Se inventa el microscopio | 1792 Se usan ambulancias en campos de guerra | 1796 Desarrollo de la primera vacuna |

INSTRUMENTOS MÉDICOS

¿Quién inventó el estetoscopio?

El médico francés René Laënnec ideó el estetoscopio al ver a unos niños jugando con una tabla. Uno de ellos la arañaba por un extremo y el otro, en el otro extremo, ponía la oreja sobre la madera y oía los arañazos. El primer estetoscopio de Laënnec, de 1816, era un sencillo tubo hueco. Se colocaba un extremo sobre el pecho del paciente y el médico escuchaba por el otro la respiración y los latidos de su corazón.

IZQUIERDA Estetoscopio de madera de Laënnec.

DERECHA El termómetro electrónico muestra la temperatura del cuerpo en una pantalla digital.

IZQUIERDA El estetoscopio moderno transmite los sonidos del pecho hasta los oídos del médico.

¿Cuándo se inventó el termómetro?

El científico italiano Galileo Galilei inventó una forma de medir la temperatura en 1592. Pero fue en 1714 cuando el físico alemán Gabriel Fahrenheit inventó un termómetro preciso, con un tubo de cristal herméticamente cerrado que contenía alcohol. El líquido se dilataba al calentarse y se contraía al enfriarse, subiendo y bajando en el tubo. El nivel del líquido indicaba la temperatura.

¿Cómo funciona un tensiómetro?

El tensiómetro, inventado en 1863, comprueba el funcionamiento del corazón y los vasos sanguíneos. Se coloca un manguito hinchable alrededor del brazo del paciente y se hincha hasta interrumpir el flujo sanguíneo. Al liberar la presión del manguito, la sangre vuelve a fluir y se toma una medida. Cuando la sangre circula de nuevo con normalidad, el tensiómetro toma una segunda medida.

¿SABÍAS QUE...?
En las guerras de finales del siglo XIX y principios del XX, los médicos empezaron a llevar botiquines, que contenían los utensilios básicos que necesitaban para curar a los heridos.

bomba de mano

manguito hinchable

tensiómetro

haz de luz

lente de aumento

¿Qué es un otoscopio?

El otoscopio es un instrumento de mano que permite examinar el interior de los oídos. Con él, el médico ilumina el canal auditivo del paciente y, mirando a través de unas lentes de aumento, busca síntomas de infecciones o enfermedades en el tímpano.

133

HITOS DE LA MEDICINA

| 1286 d. C. | 1592 | 1683 | 1792 | 1796 |
| Primeras gafas para leer | Primer termómetro sencillo | Se inventa el microscopio | Se usan ambulancias en campos de guerra | Desarrollo de la primera vacuna |

MICROSCOPIOS

¿Cuándo se inventó el microscopio?

El científico holandés Anton van Leeuwenhoek fabricó el primer microscopio en 1683.

Un microscopio amplía los objetos pequeños para mostrar detalles que de otro modo no veríamos. El microscopio de Van Leeuwenhoek tenía una potente lente que ampliaba las muestras unas 200 veces. Al acercar el ojo a la lente, pudo estudiar los vasos sanguíneos y ver los microbios, los gérmenes que causan las enfermedades.

Tornillo para enfocar

La lente convexa queda sujeta entre dos placas de metal.

Alfiler que sujeta la muestra

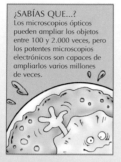

¿SABÍAS QUE...?
Los microscopios ópticos pueden ampliar los objetos entre 100 y 2.000 veces, pero los potentes microscopios electrónicos son capaces de ampliarlos varios millones de veces.

ABAJO Los científicos utilizan microscopios binoculares para ver las muestras con los dos ojos.

¿Cómo funciona un microscopio compuesto?

Los microscopios compuestos utilizan dos o más lentes para ampliar las muestras hasta 2.000 veces. El científico inglés Robert Hooke mejoró el diseño de los primeros microscopios compuestos en 1660. Los microscopios compuestos tienen una lente cerca de la muestra que crea una imagen ampliada en el cilindro. La lente del ocular amplía de nuevo esa imagen para obtener una ampliación total de la muestra mucho mayor.

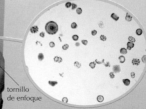

lentes del ocular

cilindro

lente

tornillo de enfoque

IZQUIERDA Imagen ampliada de células en una platina. La luz ilumina la muestra desde abajo.

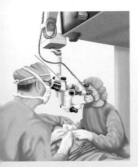

¿Qué es la microcirugía?

La microcirugía es un tipo de cirugía que se practica con la ayuda de uno o más potentes microscopios. El microscopio permite al cirujano ver pequeños vasos sanguíneos o nervios rotos y coserlos. Una de las primeras operaciones de microcirugía se realizó en Estados Unidos en 1962: dos médicos reimplantaron el brazo derecho a un joven que lo había perdido en un accidente.

IZQUIERDA Los cirujanos emplean microscopios para ver bien su trabajo.

¿Quién inventó el microscopio electrónico?

Ernst Ruska fabricó el primer microscopio electrónico en Alemania en 1931. Su invento ampliaba las muestras con un haz de partículas llamadas electrones en lugar de con luz. El microscopio electrónico de barrido, desarrollado en la década de 1960, es una valiosa herramienta de investigación para médicos y científicos. Este microscopio amplía objetos diminutos, como células humanas, cientos o miles de veces. Un haz de electrones barre la superficie de la muestra y los electrones reflejados conforman una imagen detallada en la pantalla del ordenador.

Los científicos estudian imágenes ampliadas en la pantalla del ordenador.

Con un microscopio electrónico de barrido, las muestras, como estos glóbulos rojos, se ven en tonos de gris.

135

HITOS DE LA MEDICINA

| 1286 d. C. Primeras gafas para leer | 1592 Primer termómetro sencillo | 1683 Se inventa el microscopio | 1792 Se usan ambulancias en campos de guerra | 1796 Desarrollo de la primera vacuna |

VACUNAS Y ANTIBIÓTICOS

¿Cuándo se inventó la vacuna?

El médico inglés Edward Jenner obtuvo la primera vacuna, contra la mortal viruela, en 1796. Las vacunas infectan el cuerpo con una forma benigna de la enfermedad, lo que protege a la persona frente a posibles ataques más graves de la misma enfermedad. Jenner utilizó como vacuna gérmenes de una enfermedad de las vacas y llamó al proceso «vacunación», de la palabra latina *vacca* («vaca»).

¿SABÍAS QUE...?
Las bacterias cambian continuamente. Con el tiempo, muchas se han vuelto resistentes a la penicilina.

DERECHA La vacuna se inyecta con una jeringuilla hipodérmica en el torrente sanguíneo del paciente, que la distribuye por el cuerpo.

germen de vacuna   anticuerpo

flujo sanguíneo

¿Cómo funciona la vacuna?

Una vacuna contiene una forma debilitada de la bacteria o germen de una determinada enfermedad. Cuando se inyecta una vacuna en el cuerpo, el sistema inmunitario produce anticuerpos que atacan y destruyen las bacterias. Las personas vacunadas que contraen la enfermedad pueden luchar mejor contra la infección porque los anticuerpos presentes en su organismo reaccionan con rapidez.

ARRIBA Una vacuna estimula el sistema inmunitario para que produzca anticuerpos contra los gérmenes que causan la enfermedad.

Qué son los antibióticos?

n medicinas que sirven para
tar infecciones o enfermedades
usadas por bacterias, pequeños
res vivos invisibles a simple vista.
s antibióticos no curan las
fermedades producidas por virus,
mo el catarro común, porque los
rus no son criaturas vivas. Cada
tibiótico funciona de forma diferente
ra destruir una bacteria determinada
n afectar a las células. Por ejemplo, un
tibiótico impide que las bacterias se
imenten y, así, mueren antes de reproducirse.

ARRIBA La mayoría de las bacterias son inofensivas para
nosotros, pero algunas producen venenos que causan
infecciones o reacciones alérgicas.

¿Quién descubrió los antibióticos?

En 1928 el científico escocés Alexander
Fleming descubrió que unas cepas de un moho
que crecía en una de sus placas de laboratorio
habían acabado con las bacterias que
estaba estudiando. Otros científicos extrajeron
penicilina del moho para crear el primer
antibiótico. La penicilina salvó muchas vidas
durante la Segunda Guerra Mundial y ha curado
muchas enfermedades e infecciones peligrosas.

IZQUIERDA Los antibióticos modernos se ingieren
en forma de pastilla o jarabe. El paciente lleva
la receta del médico al farmacéutico, que le
proporciona los medicamentos prescritos.

137

HITOS DE LA MEDICINA

| 1286 d. C. Primeras gafas para leer | 1592 Primer termómetro sencillo | 1683 Se inventa el microscopio | 1792 Se usan ambulancias en campos de guerra | 1796 Desarrollo de la primera vacuna |

GAFAS

¿Cuándo se inventaron las gafas?

El diseño básico de las gafas no ha cambiado mucho desde que se inventaron, en el siglo XIII. Ópticos italianos fabricaron las primeras lentes, y las unieron con una montura para utilizarlas para leer. Las primeras gafas se sostenían sobre la nariz para ver claramente. Más adelante, en el siglo XVIII, se inventó una montura con patillas que las sujetaba a las orejas.

ARRIBA Las gafas modernas llevan ligeras lentes de plástico que corrigen defectos visuales como la miopía o la hipermetropía.

IZQUIERDA Gafas del siglo XV con montura de hueso y bisagra para ajustarlas a la nariz.

¿Qué es un oftalmoscopio?

haz de luz

El oftalmoscopio es un instrumento con el que los oftalmólogos examinan los ojos. Lo inventó en 1851 Hermann von Helmholtz, en Alemania. El aparato emite un haz de luz que el oftalmólogo enfoca al ojo del paciente, lo que le permite ver, a través de la pupila, la retina, situada en el fondo del ojo, y comprobar si está sana o determinar si el paciente es miope o hipermétrope.

Quién inventó las lentes de contacto?

1887 el científico alemán Adolf Fick fabricó las meras lentes de contacto para corregir la vista. Eran un pesado vidrio marrón y sólo se podían llevar as horas. Desde 1938 las lentes de contacto se hacen plástico ligero. En la actualidad son pequeños cos cóncavos de plástico blando que se adhieren a córnea sobre la pupila y el iris del ojo y flotan en las grimas que mantienen los ojos húmedos.

¿SABÍAS QUE...?
El político estadounidense Benjamin Franklin inventó las lentes progresivas o bifocales en 1784. Su diseño combinaba dos lentes (una para ver de cerca y otra para ver de lejos) en una misma montura.

a operar levanta lu ba externa la córnea.

rayo láser modifica forma de la córnea ra que funcione rrectamente.

RIBA Las primeras raciones de cirugía ular con láser se varon a cabo en 1995.

¿Cómo funcionu la cirugía ocular por láser?

La cirugía ocular por láser modifica la forma de la córnea (la membrana abombada que cubre la parte anterior del ojo) del paciente para mejorar el enfoque del ojo. Durante la operación, una delgada capa externa de la córnea se trata con alcohol para levantarla del ojo. Después se dirige el rayo láser hacia la córnea para cambiar su forma. Una vez colocada la capa externa sobre la córnea, podrá refractar, o enfocar, la luz correctamente.

HITOS DE LA MEDICINA

1286 d. C.	1592	1683	1792	1796
Primeras gafas	Primer termómetro	Se inventa el	Se usan ambulancias	Desarrollo de la
para leer	sencillo	microscopio	en campos de guerra	primera vacuna

VEHÍCULOS DE EMERGENCIA

¿Quién inventó la ambulancia?

El cirujano del ejército francés Baron Dominique-Jean Larrey se hizo famoso por la velocidad con la que atend[..] a los heridos en el campo de batalla, pero se le recuer[..] sobre todo como inventor de la ambulancia. Durante l[..] guerras napoleónicas, en 1792, ideó un carro tirado po[..] caballos en el que cabían un médico y un enfermero c[..] su material sanitario, además del enfermo.

¿Qué equipos llevan las ambulancias?

Las ambulancias modernas llevan un moderno equipamiento y diversos medicamentos para atender urgencias médicas y accidentes. El personal sanitario utiliza bombonas de oxígeno y monitores cardíacos para estabilizar a los pacientes durante el viaje, y distintos apósitos para vendar las heridas abiertas. Cuando el vehículo está yendo a recoger a enfermos o heridos para transportarlos rápidamente al hospital, el conductor acciona las luces y la sirena para avisar a otros conductores de que deben apartarse.

ABAJO Las ambulancias tienen camill[..] con ruedas para transportar a los pacientes.

DERECHA Los sanitarios suministran oxígeno a un paciente con problemas respiratorios en el lugar del suceso.

ECHA Existen
bulancias aéreas
acuden cuando
gen urgencias
dicas en lugares
otos.

¿SABÍAS QUE...?
En algunas ciudades del mundo
hay bicicletas ambulancia, el único
transporte que permite avanzar
por las atestadas calles y llegar
rápidamente a los
enfermos.

Quién inventó la ambulancia aérea?

s oficiales médicos del ejército estadounidense
vieron la idea de trasladar a enfermos y
ridos por avión en 1910, poco después de que
s hermanos Wright realizaran con éxito su
mer vuelo. El capitán George H. R. Gosman
el teniente A. L. Rhodes construyeron la
imera ambulancia aérea del mundo
n su propio dinero. Por desgracia, en
vuelo de prueba, el avión apenas
corrió una corta distancia antes
estrellarse. Después, en 1928,
implantó el primer servicio de
nbulancias aéreas, llamado Flying
octors, en el vasto territorio australiano.

DERECHA Los helicópteros
ambulancia llevan a los pacientes
al hospital. Aterrizan en la azotea.

¿Dónde se usan ambulancias aéreas?

La mayoría de las ambulancias aéreas son helicópteros
que operan en las grandes ciudades y sus alrededores para
responder en menos de dos minutos a un aviso de urgencia.
Estos helicópteros pueden aterrizar en cualquier terreno y
tienen grandes puertas para subir y bajar las camillas. Por
lo general llevan a dos pilotos, un médico y un enfermero,
y hay espacio para dos pacientes, además de para todo el
equipo de salvamento habitual.

HITOS DE LA MEDICINA

1286 d. C.	1592	1683	1792	1796
Primeras gafas	Primer termómetro	Se inventa el	Se usan ambulancias	Desarrollo de la
para leer	sencillo	microscopio	en campos de guerra	primera vacuna

EQUIPOS SANITARIOS

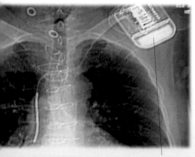

marcapasos

¿Quién inventó el marcapasos?

Los médicos suecos Rune Elmqvist y Åke Senning inventaron el marcapasos en 1958. Idearon el modo de implantar una pequeña pila en el cuerpo de los pacientes con insuficiencia cardíaca para regularizar su ritmo cardíaco. Los marcapasos mejoran y alargan la vida de miles de personas con problemas cardíacos controlando de forma artificial el ritmo de su corazón.

¿Cómo funciona un marcapasos?

El marcapasos se implanta bajo la piel del paciente, sobre la cavidad torácica, y unos cables conectan el circuito eléctrico con el corazón. Un corazón sano late respondiendo a impulsos eléctricos naturales y bombea la sangre por el cuerpo para mantener viva a la persona. Cuando a un corazón enfermo se le conecta un marcapasos, late cada vez que los electrodos emiten su pequeña descarga eléctrica.

IZQUIERDA Un marcapasos emite impulsos eléctricos que contraen los músculos del corazón y lo hacen latir con regularidad.

marcapasos

electrodo

corazón

142

4	1895	1914	1928	1958
nventa	Se descubren	Primer riñón	Se descubren	Primer
anestesia	los rayos X	artificial	los antibióticos	marcapasos

ARRIBA La cubierta de la incubadora protege al bebé de los gérmenes y lo mantiene caliente.

¿Cuándo se inventó la incubadora?

Las primeras incubadoras se inventaron en la década de 1880 para mantener calientes a los bebés prematuros, los que nacían demasiado pronto. Para ayudarlos a sobrevivir, se colocaban en cunas calentadas por debajo con ollas de agua caliente. Ahora los prematuros pasan sus primeras semanas en incubadoras de plástico transparente que los mantienen calientes y los protegen de infecciones mientras crecen y se desarrollan.

¿SABÍAS QUE...?
En 1957 se implantó a un perro el primer corazón artificial. El órgano era de plástico y funcionaba con aire comprimido.

ABAJO Los pacientes que necesitan diálisis se conectan a un riñón artificial tres veces por semana.

tubos de sangre

¿Qué es un riñón artificial?

Los riñones son órganos vitales que filtran la sangre para eliminar residuos e impurezas que pueden resultar venenosas para el cuerpo. En 1914 se inventó el riñón artificial para la diálisis, un aparato que filtra la sangre fuera del cuerpo y salva la vida a las personas cuyos riñones no funcionan. Al conectar al paciente a la máquina, la sangre circula por filtros que la limpian; después, la sangre retorna al cuerpo del paciente.

riñón artificial

143

HITOS DE LA MEDICINA

1286 d. C.	1592	1683	1792	1796
Primeras gafas	Primer termómetro	Se inventa el	Se usan ambulancias	Desarrollo de la
para leer	sencillo	microscopio	en campos de guerra	primera vacuna

RAYOS X Y ESCÁNERES

ARRIBA Esta radiografía del pecho de un paciente muestra el esqueleto como una zona clara sobre un fondo oscuro.

¿Quién descubrió los rayos X?

En 1895 el físico alemán Wilhelm Röntgen descubrió los rayos X, unas ondas de energía invisibles parecidas a la luz. Röntgen descubrió que los rayos X atraviesan ciertas sustancias y que podían servir para fotografiar el interior del cuerpo humano. Los médicos los usan para detectar lesiones como huesos rotos o diagnosticar enfermedades sin cirugía. El cuerpo del paciente se somete a un haz de rayos X, que atraviesa las zonas blandas pero se refleja en las duras, como huesos y dientes. Después, las sombras de los rayos X se recogen en película fotográfica.

ABAJO En el interior un escáner TAC, que toma imágenes del cuerpo mediante rayos X, los pacientes tienen que estar estirados e inmóviles.

¿Cómo funciona un escáner TAC?

Los escáneres de tomografía axial computerizada (escáneres TAC) se desarrollaron en la década de 1960. Aplicando rayos X, estas máquinas toman cientos de imágenes del cuerpo del paciente, franja a franja. Después, esas imágenes bidimensionales se combinan en un ordenador para obtener otras tridimensionales que los médicos interpretan para emitir un diagnóstico.

4	1895	1914	1928	1958
inventa	Se descubren	Primer riñón	Se descubren	Primer
anestesia	los rayos X	artificial	los antibióticos	marcapasos

¿Cuándo se inventó el escáner RM?

Los primeros escáneres de resonancia magnética se desarrollaron en la década de 1970. Estas máquinas toman imágenes tridimensionales de los órganos internos de las personas y muestran las células anormales que causan enfermedades. En un escáner RM, el paciente está rodeado de un campo magnético y se escanea con ondas de radio, que los átomos del cuerpo absorben. El escáner analiza esas ondas para crear imágenes.

DERECHA Esta imagen obtenida mediante resonancia magnética se ha coloreado para mostrar partes del cerebro.

¿SABÍAS QUE...?
Antes de que se supiera que los rayos X podían ser nocivos para la salud, en las zapaterías se usaban aparatos de rayos X para ver la forma del pie de los clientes.

¿Qué es un escáner ultrasónico?

Desde la década de 1960 se aplican escáneres de ultrasonidos para comprobar la salud de un bebé en el interior de su madre. Ondas sonoras de alta frecuencia (sonidos demasiado agudos como para oírlos) barren el cuerpo del paciente. Al contrario que los rayos X, los ultrasonidos se reflejan en los órganos blandos y rebotan como ecos, que conforman imágenes en movimiento en un monitor.

ABAJO El aparato muestra el movimiento del bebé al pasar una sonda sobre el abdomen.

145

HITOS DE LA MEDICINA

| 1286 d. C. Primeras gafas para leer | 1592 Primer termómetro sencillo | 1683 Se inventa el microscopio | 1792 Se usan ambulancias en campos de guerra | 1796 Desarrollo de la primera vacuna |

CIRUGÍA

IZQUIERDA
Los pacientes inhalaban vapores de éter por una mascarilla.

¿Cuándo se inventó la anestesia?

Antes de la invención de la anestesia, en 1844, los pacientes mordían un palo o bebían alcohol hasta perder el conocimiento para resistir el dolor de una operación quirúrgica. El denti estadounidense Horace Wells fue el primer que usó óxido nitroso, llamado gas de la risa, como anestesia para aliviar el dolor d un paciente al que iba a sacar una muela. Pocos años después se utilizaba éter como anestesia más eficaz para mantener a los pacientes inconscientes durante las operacione

¿Quién utilizó los primeros antisépticos?

En 1865 el cirujano escocés Joseph Lister inició la práctica de rociar ácido carbólico, un potente germicida, en su quirófano. Antes, los quirófanos eran lugares peligrosos para los pacientes, que morían con frecuencia debido a infecciones contraídas durante una operación. La cirugía antiséptica de Lister preparó el camino para los modernos y seguros quirófanos.

¿SABÍAS QUE...?
En los primeros quirófanos se habilitaban zonas para que los estudiantes vieran trabajar a los cirujanos, por lo que se llamaron «teatros de operaciones».

...4	1895	1914	1928	1958
...nventa	Se descubren	Primer riñón	Se descubren	Primer
...nestesia	los rayos X	artificial	los antibióticos	marcapasos

Qué es la cirugía endoscópica?

...cirugía endoscópica es una técnica quirúrgica ...e consiste en operar sin hacer grandes ...cisiones para abrir el cuerpo. Las operaciones ...realizan a través de pequeños agujeros con ...strumentos delgados y los cirujanos ven lo ...e hacen con una pequeña cámara de vídeo ...locada en el interior del cuerpo. Los pacientes ...recuperan rápidamente porque las incisiones ...queñas cicatrizan más rápido, son menos ...lorosas y dejan menos marcas.

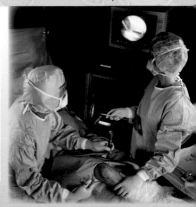

ARRIBA Artroscopia de rodilla

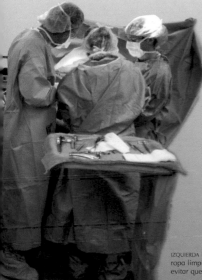

¿Qué es una artroscopia?

Para realizar una artroscopia de rodilla, el cirujano introduce un tubito de metal en la rodilla del paciente y bombea fluido para dilatarla. Después, inserta un pequeño telescopio y una diminuta cámara de vídeo que proyecta imágenes del interior de la rodilla en una pantalla. El cirujano opera introduciendo instrumentos quirúrgicos especiales por varios agujeros distintos, y va siguiendo sus propias acciones en el monitor.

IZQUIERDA Los cirujanos se lavan las manos y llevan ropa limpia y mascarillas que les tapan la boca para evitar que los pacientes contraigan infecciones.

147

EL TIEMPO

Los inventores han tratado de medir el tiempo durante siglos. Al principio se clavaban en el suelo los llamados palos de sombra para saber cuándo llegaba el mediodía . Hoy en día los relojes atómicos son muy precisos. Descubre cómo los egipcios medían el tiempo con agua y por qué los primeros relojes se construyeron en las torres de las iglesias. Averigua por qué el reloj de pulsera se inventó en la Primera Guerra Mundial y cómo funcionan los relojes automáticos. Aprende sobre los relojes digitales y por qué son tan importantes para otros inventos, desde el microondas hasta los teléfonos móviles.

HITOS DEL TIEMPO

3500 a. C.	1400 a. C.	1000 a. C.	1360 d. C.	1510
Palo de sombra para medir el tiempo	Se inventa la clepsidra	Se inventa el reloj de sol	Primeros relojes mecánicos	Primer reloj portátil

RELOJES DE SOL Y DE AGUA

¿Qué es un palo de sombra?

Un palo clavado en el suelo proyecta una sombra que se desplaza a medida que lo hace el sol durante el día. Los primeros palos de sombra se usaron para señalar la hora ya en 3500 a. C. Se podía saber la hora que era mirando la sombra del palo.

ABAJO Se piensa que las antiguas piedras de Stonehenge (Inglaterra) están orientadas hacia donde salen y se ponen el Sol y la Luna, y que debían de indicar el paso del tiempo a modo de enorme calendario.

ABAJO El reloj de Sol proyecta una sombra que indica la hora.

¿Quién inventó el reloj de sol?

Los antiguos egipcios inventaron el reloj de sol para medir el tiempo hacia 1000 a. C. Como el palo de sombra, el reloj de sol indica la hora mediante la sombra que proyecta el Sol. Los relojes de sol se colocan con el brazo orientado hacia el Norte. Durante el día, la sombra que proyecta el Sol recorre lentamente la esfera, dividida en secciones que indican la hora.

¿Dónde se inventó la clepsidra?

Los egipcios inventaron la clepsidra hacia 1400 a. C. Eran relojes más útiles que los de Sol porque daban la hora tanto de día como de noche. El ingenio consistía en dos recipientes, uno con un agujero encima del otro, en el que el agua caía constantemente. En el interior del segundo recipiente una escala marcada señalaba el paso de las horas con la subida del agua. Después, las clepsidras utilizaron el flujo constante del agua sobre una rueda mecánica que señalaba la hora.

IZQUIERDA Las clepsidras medían el tiempo gracias al goteo del agua.

Cómo funciona el reloj de arena?

En un reloj de arena, la arena cae a un ritmo constante y señala así el paso del tiempo. La arena pasa de un recipiente de cristal a otro por un estrecho orificio. Muchos relojes de arena miden un plazo establecido de una hora. Un temporizador para huevos es un pequeño reloj de arena que se vacía en tres minutos, el tiempo medio que tarda en cocerse un huevo.

¿SABÍAS QUE...?
El rey Alfredo de Inglaterra desarrolló el reloj de vela hacia 890 d. C. Las marcas en la vela indicaban el paso del tiempo a medida que se consumía.

DERECHA Cuando se vacía el reloj de arena, se le da la vuelta para medir otro periodo.

151

HITOS DEL TIEMPO

| 3500 a. C. Palo de sombra para medir el tiempo | 1400 a. C. Se inventa la clepsidra | 1000 a. C. Se inventa el reloj de sol | 1360 d. C. Primeros relojes mecánicos | 1510 Primer reloj portátil |

RELOJES

¿Cuándo se hizo el primer reloj?

Los primeros relojes mecánicos aparecieron en Europa en torno a 1360 para sustituir a las clepsidras, que sólo medían horas. Los nuevos relojes eran más precisos y con el tiempo sonaban cada cuarto de hora, además de cada hora. Los relojes funcionaban con un peso sujeto a un gran engranaje o rueda dentada. La caída del peso se frenaba mediante diferentes engranajes conectados entre sí que movían las manillas por la esfera del reloj.

IZQUIERDA Los primeros relojes se construyeron en las torres de iglesias y monasterios para indicar las horas de oración.

¿SABÍAS QUE...?
El inglés John Harrison creó el primer reloj marítimo en 1762. Sólo se atrasaba 5 segundos en casi tres meses en el mar. Los marinos utilizaron el reloj de Harrison para calcular la posición de su barco en largos viajes oceánicos.

DERECHA Cada oscilación del péndulo se produce en la misma cantidad de tiempo.

¿Quién inventó el reloj de péndulo?

El matemático holandés Christiaan Huygens fabricó el primer reloj de péndulo en 1657. Su invento consistía en controlar el mecanismo del reloj mediante el movimiento regular de un péndulo oscilante. Este reloj medía los minutos e indicaba los cuartos y las horas.

¿Cómo va el reloj de péndulo?

Un reloj de péndulo convierte el movimiento oscilante de un péndulo en el giro de las manecillas. Un peso acciona el mecanismo del reloj. Al oscilar, el péndulo balancea una palanca llamada ancla. El movimiento regular del ancla sujeta y suelta la rueda de escape, permitiéndole avanzar un diente cada vez. La rueda principal hace girar las manecillas. El peso aporta la energía que mantiene en movimiento todo el engranaje.

IZQUIERDA Interior del reloj de péndulo.

¿Cuál fue el primer reloj eléctrico?

En 1841 el relojero escocés Alexander Bain inventó el reloj eléctrico al acoplar a un reloj mecánico un motor eléctrico para mover las manecillas. Hasta ese momento los relojes mecánicos funcionaban gracias al empuje de un peso o a la fuerza de un resorte enrollado. A principios del siglo XX los relojes eléctricos se hicieron más comunes porque la electricidad llegaba a más hogares.

DERECHA Moderno reloj despertador a pilas.

153

HITOS DEL TIEMPO

3500 a. C.	1400 a. C.	1000 a. C.	1360 d. C.	1510
Palo de sombra para medir el tiempo	Se inventa la clepsidra	Se inventa el reloj de sol	Primeros relojes mecánicos	Primer reloj portátil

RELOJES DE PULSERA

ABAJO Los relojes portátiles permitiero[n] llevar encima un reloj por primera ve[z]

¿Cuándo se inventó el reloj portátil?

El relojero alemán Peter Henlein inventó el reloj mecánico portátil hacia 1510. Lo accionaba un resorte enrollado al que se daba cuerda girando una llave. Al desenrollarse el resorte, movía una manecilla horaria por la esfera del reloj. El resorte ocupaba menos que un peso, por lo que se pudieron fabricar relojes más pequeños y ligeros que no se paraban al llevarlos.

El reloj de bolsillo cuelga de una cadena.

¿Qué accionaba los primeros relojes de bolsillo[?]

Los primeros relojes de bolsillo se movían mediante resortes. Las manecillas giraban a la velocidad adecuada cuando el resorte estaba bien apretado, pero empezaban a ralentizarse cuando se iba aflojando. En 1675 Christiaan Huygens inventó el caracol, que hacía que las manecillas avanzaran a la misma velocidad hasta que se volvía a dar cuerda al reloj.

llave

¿SABÍAS QUE...?
Los relojes modernos se hicieron populares durante la Primera Guerra Mundial. En las trincheras, a los soldados les resultaba más fácil mirar un reloj de pulsera que uno de bolsillo.

57	1841	1955	1968	1969
inventa el	Primer reloj	Se inventa el	Aparecen los	Se inventa el
oj de péndulo	eléctrico	reloj atómico	relojes digitales	reloj de cuarzo

ABAJO El resorte de un reloj automático almacena energía suficiente para que el reloj funcione doce horas después de quitárselo de la muñeca.

rotor

ecanismo del erior del reloj

os relojes de pulsera ctuales suelen ser umergibles y no se stropean aunque se nojen.

¿Cómo funciona un reloj automático?

Un reloj automático tiene un muelle que se enrolla automáticamente con el movimiento del brazo. El mecanismo tiene un peso metálico semicircular llamado rotor que oscila con el movimiento del reloj. El rotor está conectado a unos engranajes que, poco a poco, van dando cuerda al reloj. El relojero británico John Harwood patentó el primer reloj automático de pulsera en 1923.

¿Quién inventó el reloj de cuarzo?

En 1969 Tsuneya Nakamura y su equipo de ingenieros japoneses inventaron el reloj de cuarzo. En un reloj de este tipo la electricidad de la pila hace que un pequeño cristal de cuarzo vibre una determinada serie de veces por segundo. Esos pulsos alteran la imagen del reloj digital del modo adecuado. Si el reloj es de manecillas, los pulsos controlan el motor que las hace avanzar. La vibración regular confiere a los relojes de cuarzo gran precisión: sólo se adelantan o atrasan unos segundos al mes.

HITOS DEL TIEMPO

| 3500 a. C. Palo de sombra para medir el tiempo | 1400 a. C. Se inventa la clepsidra | 1000 a. C. Se inventa el reloj de sol | 1360 d. C. Primeros relojes mecánicos | 1510 Primer reloj portátil |

RELOJES DIGITALES

¿Cuándo se inventó el reloj digital?

El reloj digital se inventó en 1968. Los relojes digitales muestran la hora con números en una pantalla electrónica en lugar de con manecillas sobre una esfera. Las primeras pantallas digitales utilizaban pequeñas luces rojas llamadas LED, pero las modernas son de cristal líquido o LCD.

¿SABÍAS QUE...?
El reloj parlante fue presentado en Estados Unidos en 1927. Se marcaba un número de teléfono y una voz grabada daba la hora exacta.

ARRIBA El primer radiodespertador digital.

cubierta y pantalla

pantalla LCD

ABAJO Los relojes digitales señalan las horas, minutos y segundos, además del día de la semana, la fecha, el mes y el año.

cristal de cuarzo

pila

microchip

ARRIBA Interior de un reloj digital

¿Cómo funciona el reloj digi

Dentro de un reloj digital hay un microchi un cristal de cuarzo y una pantalla de crista líquido o LCD. Los cristales de la pantalla están alineados de forma que permiten pasar la luz cuando no se aplica corriente eléctrica. Cuando se aplica a partes de la pantalla, las moléculas giran para bloquear el paso de la luz en esa zonas, y así se forman los números que indican la hora.

Qué es un reloj atómico?

ABAJO Los relojes atómicos permiten a los científicos medir el tiempo con gran precisión.

os relojes atómicos son los más precisos porque sólo adelantan o atrasan un segundo en miles de millones e años. Estos relojes miden el tiempo mediante las braciones regulares de los átomos. Se inventaron n 1955 y hoy día muchos países del mundo sólo onsideran oficial la hora atómica. Para calcular osiciones exactas sobre la Tierra, los sistemas de avegación se rigen por la señal de los relojes atómicos nviada desde satélites que están en el espacio.

BAJO Los ordenadores muestran n reloj digital que indica la echa y la hora. También puede rogramarse para que aparezcan n pantalla mensajes que nos ecuerden tareas endientes.

Jue 11:15

¿Dónde se usan relojes digitales?

Encontramos relojes digitales no sólo en relojes de pulsera, sino también en muchos objetos electrónicos, como teléfonos móviles, radios, reproductores de DVD, hornos, cámaras y ordenadores. Además de dar la hora, pueden configurarse para que controlen máquinas, por ejemplo, para programar el microondas y que esté en marcha un tiempo determinado.

LA VIDA COTIDIANA

Aunque a veces no nos demos cuenta, los inventos desempeñan un papel fundamental en nuestros hogares. Averigua cómo funciona un frigorífico, cómo una chocolatina derretida dio paso a la invención del microondas y cómo los primeros aspiradores se llevaban de casa en casa en una carreta. Descubre los inventos que cambiaron la forma de comprar, de las primeras monedas y billetes a la compra por internet y las tarjetas de crédito, que permiten transferir dinero con rapidez. Aprende cómo un paseo con el perro hizo surgir la idea del velcro y cómo se hace ropa con botellas usadas de plástico.

HITOS DE LA VIDA COTIDIANA

| 400 a. C. | 100 a. C. | 800 d. C. | 1596 | 1893 |
| Hipocaustos romanos | Primeras monedas en China | Los chinos inventan el papel moneda | Se inventa el inodoro | Aparece la cremallera |

HIGIENE

ARRIBA Los romanos se bañaban en el agua caliente de manantiales termales subterráneos.

¿Cuándo se inventó el baño?

Los primeros baños conocidos estaban en Babilonia hace más de 4.500 años y se llenaban con el agua del río que acarreaban los esclavos. Hoy, el agua que llena la bañera suele venir de un embalse. Allí se almacena el agua que baja por el río, que después se filtra y se limpia para canalizarla por las tuberías subterráneas que llegan a nuestros hogares, donde un calentador la calienta antes de que salga por el grifo.

¿Quién inventó el inodoro?

El inglés sir John Harrington fabricó el primer inodoro en 1596. Al principio, sólo los ricos podían permitirse un aseo privado. Mucha gente utilizaba orinales y los vaciaba en las cloacas de la calle por la mañana. Cuando, en 1832, millones de personas murieron de cólera en Europa, se promulgaron leyes que alentaban a todo el mundo a usar el inodoro.

flotador

tirador

tubo de rebose

válvula

DERECHA El tirador abre una válvula y el agua de la cisterna cae a la taza del inodoro.

IZQUIERDA Los primeros inodoros estaban muy decorados porque eran un bien muy preciado.

160

01
piradora
bulante

1945
Se comercializan los
hornos microondas

1970
El primer código de
barras, en un chicle

1982
Tarjeta inteligente para
llamadas telefónicas

¿Cuáles fueron las primeras duchas?

Probablemente las primeras duchas se inventaron cuando las personas vieron que podían lavarse bajo el agua de una cascada. Entonces empezaron a echarse cubos de agua por encima. Una de las primeras duchas caseras tenía tres metros de alto y se construyó en 1810 para el baño de una gran casa solariega inglesa.

¿SABÍAS QUE...?

La dentadura postiza se inventó en la antigua Grecia. Eran dientes auténticos y falsos sujetos con hilo de oro.

cerdas
de nailon

¿Cuándo se inventó el cepillo de dientes?

El cepillo de dientes con cerdas se inventó en China en 1498. Hoy la mayoría están hechos con cerdas de nailon, pero entonces eran de pelo de cerdo, caballo o tejón.

Antes de que se inventara el cepillo de dientes, la gente se limpiaba los dientes masticando un palo hasta ablandarlo. Los primeros cepillos de dientes eléctricos datan de alrededor de 1978.

Los cepillos eléctricos tienen un cabezal accionado por un motor que se encarga del trabajo.

161

HITOS DE LA VIDA COTIDIANA

| 400 a. C. | 100 a. C. | 800 d. C. | 1596 | 1893 |
| Hipocaustos romanos | Primeras monedas en China | Los chinos inventan el papel moneda | Se inventa el inodoro | Aparece la cremallera |

CALEFACCIÓN

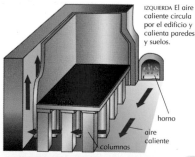

IZQUIERDA El aire caliente circula por el edificio y calienta paredes y suelos.

horno

aire caliente

columnas

¿Cómo es la calefacción centr

Mantener caliente el hogar supone un r
en lugares fríos o durante el invierno. Lo
antiguos romanos implementaron el pri
sistema de calefacción central, llamado
hipocausto, en 400 a. C. Un fuego que
ardía en una sala contra un muro exterio
introducía aire caliente bajo la casa. Los
suelos estaban levantados sobre pilares
las paredes eran huecas para que el cal
circulara por todas las estancias.

¿Cuándo se inventó la caldera?

El ingeniero Sigismund Leoni inventó
las calderas de gas para el hogar en
Inglaterra en 1881. Se abre una válvula
o espita para que salga gas de un
conducto y se enciende. Al arder, el
gas emite calor, pero muchas calderas
funcionan calentando además carbón
o piedras que se ponen al rojo vivo.

¿SABÍAS QUE...?
En Islandia, el agua caliente
del subsuelo aflora a la
superficie en géiseres.
Ese agua se recoge y
canaliza hasta los
hogares para calentarlos
y suministrar agua
caliente.

901
spiradora
mbulante

1945
Se comercializan los
hornos microondas

1970
El primer código de
barras, en un chicle

1982
Tarjeta inteligente para
llamadas telefónicas

ARRIBA Cuando la corriente pasa por un
filamento en espiral (resistencia) lo calienta,
y esa energía calienta el aire de alrededor.

¿Quién inventó el radiador eléctrico?

Bell Crompton y su socio, Herbert Dowsing,
patentaron el primer radiador eléctrico doméstico
en el Reino Unido en 1892, aunque el método
para fabricarlo procedía de distintas fuentes.
En un radiador eléctrico, la electricidad pasa
por una resistencia, que convierte la electricidad
en calor. Al calentarse, parte del calor se
irradia hacia el aire circundante y calienta la
habitación.

Cómo funciona el radiador?

os modernos sistemas de calefacción central
onsisten en una red de tubos y radiadores de
netal por los que circula agua caliente. El calor
el radiador calienta el aire que
e mete por debajo. El aire
aliente sube y nuevo aire frío
cupa su lugar. Esa circulación
enera un flujo de aire por la
abitación, que distribuye el
ire caliente del radiador y trae
ire frío para calentarlo.

ERECHA Franz SanGalli inventó este
ipo de radiador de convección en
855.

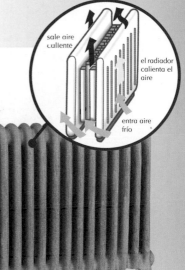

sale aire
caliente

el radiador
calienta el
aire

entra aire
frío

HITOS DE LA VIDA COTIDIANA

| 400 a. C. | 100 a. C. | 800 d. C. | 1596 | 1893 |
| Hipocaustos romanos | Primeras monedas en China | Los chinos inventan el papel moneda | Se inventa el inodoro | Aparece la cremallera |

LAVADORAS

¿Cuándo se inventó la lavadora?

La primera lavadora se construyó en Estados Unidos en 1874. Era una tina de madera con unas palas en el interior que giraban al accionar una manivela para remover la ropa enjabonada. Alva J. Fisher fabricó la primera lavadora eléctrica con tambor giratorio en Estados Unidos en 1907. En la década de 1960 ya se vendían máquinas automáticas que lavaban, aclaraban y centrifugaban con sólo pulsar un botón.

ABAJO Las prendas húmedas pasa entre los rodillo que escurrían e exceso de agua

Unas palas c madera en e interior de la tina removía la colada.

ABAJO La tina se llenaba a mano con agua caliente y jabón.

ABAJO La colada se introduce en el tambor. La puerta de la lavadora cierra herméticamente para que no se salga el agua.

¿Cómo funciona una lavadora?

La mayoría de las lavadoras funcionan removiendo la colada en agua con detergente dentro de un tambor giratorio para desprender la suciedad. Después, el tambor gira muy rápido para que la ropa expulse el agua jabonosa por los agujeros y se desagüe. Tan sólo hay que pulsar un botón para programar la lavadora con la intensidad o la duración deseada del lavado.

cubeta del detergente

Agujeros para que entre y salga el agua.

tambor giratorio

Peso para estabilizar la lavadora durante el centrifugado.

901
spiradora
mbulante

1945
Se comercializan los
hornos microondas

1970
El primer código de
barras, en un chicle

1982
Tarjeta inteligente para
llamadas telefónicas

¿Cuándo se inventó el lavavajillas?

os primeros lavavajillas, que aparecieron
n Estados Unidos hacia 1900, se
ccionaban a mano. Además, tardaban
uchísimo en lavar unos cuantos platos,
oteaban y no solían funcionar muy bien. El
avavajillas eléctrico que deja los platos secos
o se comercializó en América hasta la década
e 1940, y no llegó a Europa hasta 1960.

¿SABÍAS QUE...?
Las primeras lavadoras ayudaban
a lavar la ropa, pero todo fue más
fácil con la invención, en 1861,
de la escurridora, que permitía
escurrir la ropa después de lavarla.

DERECHA
El lavavajillas lava
los platos sucios
rociándolos con
agua caliente y
detergente. Después,
se aclaran con agua
limpia.

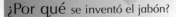

¿Por qué se inventó el jabón?

El agua tiene tensión superficial y no lava bien las
cosas. Por eso se inventó el jabón. Se empezó a
hacer jabón hacia 2800 a. C., hirviendo grasa con
ceniza, y se usaba para lavar la ropa. Los jabones
artificiales para la colada, llamados detergentes, se
inventaron en la década de 1920, cuando químicos
estadounidenses crearon productos para desprender la
suciedad de la ropa y que el agua la arrastrara.

HITOS DE LA VIDA COTIDIANA

400 a. C.	100 a. C.	800 d. C.	1596	1893
Hipocaustos	Primeras monedas	Los chinos inventan	Se inventa	Aparece la
romanos	en China	el papel moneda	el inodoro	cremallera

HORNOS y FRIGORÍFICOS

fogón de gas

llave
del gas

horno de gas

ARRIBA Los primeros hornos
de gas eran de hierro colado.

¿Quién fabricó el primer horno?

James Sharp inventó el horno de gas en
Inglaterra en 1826, y William Hadaway
fabricó el primer horno eléctrico en Estados
Unidos en 1896. El horno de gas calienta
los alimentos mediante llamas, mientras
que los eléctricos tienen resistencias que se
calientan al pasar la corriente por ellas.

agitador magnetrón

microondas

temporizador

ABAJO En un horno microondas,
el magnetrón convierte la
electricidad en microondas.
Un agitador gira para que las
microondas no se concentren
en el mismo sitio.

¿Quién inventó el horno microondas?

El investigador estadounidense Percy
Spencer descubrió las microondas
cuando pasó ante un equipo de radar y
vio que la chocolatina que llevaba en
el bolsillo se había derretido. Las ondas
electromagnéticas invisibles, llamadas
microondas, la habían fundido. La
empresa para la que trabajaba vendió
el primer microondas en 1945. Cuando
algo está caliente, se debe a que sus
moléculas vibran rápidamente. Los
microondas calientan los alimentos
haciendo vibrar sus moléculas.

01	1945	1970	1982
spiradora	Se comercializan los	El primer código de	Tarjeta inteligente para
mbulante	hornos microondas	barras, en un chicle	llamadas telefónicas

¿Cuándo se inventó el frigorífico?

Los primeros frigoríficos aparecieron en Inglaterra en el siglo XIX. Eran sencillas cajas de madera cubiertas de metal y un material aislante, como el corcho, en las que se introducían bloques de hielo. Los primeros frigoríficos modernos aparecieron en 1914. En la década de 1920 se vendieron los primeros frigoríficos eléctricos con congelador.

¿SABÍAS QUE...?
Durante cientos de años se cocinó directamente sobre el fuego, pero en 1490 se construyó en Francia el primer horno, una caja de ladrillos que acumulaba el calor del fuego.

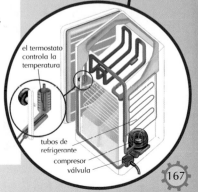

ARRIBA Los frigoríficos funcionan absorbiendo el calor del interior del aparato.

¿Cómo funciona el frigorífico?

Frigoríficos y congeladores funcionan gracias a una sustancia llamada refrigerante. El refrigerante, en forma de gas, pasa por un compresor, donde se convierte en líquido. Al comprimirlo, el refrigerante se calienta. El líquido caliente pasa por un radiador que hay en la parte posterior del frigorífico y se pone a temperatura ambiente. Después, pasa por una válvula y se expande de golpe, convirtiéndose en gas y enfriándose. El gas frío circula por conductos del interior del frigorífico, enfría el aire y mantiene frescos los alimentos. Cuando el gas se calienta, pasa de nuevo por el compresor y se reinicia el ciclo.

el termostato controla la temperatura

tubos de refrigerante

compresor

válvula

167

HITOS DE LA VIDA COTIDIANA

| 400 a. C. | 100 a. C. | 800 d. C. | 1596 | 1893 |
| Hipocaustos romanos | Primeras monedas en China | Los chinos inventan el papel moneda | Se inventa el inodoro | Aparece la cremallera |

ELECTRODOMÉSTICOS

ABAJO Las primeras planchas se calentaban colocándolas directamente sobre brasas, sobre el fogón o en el horno.

¿Quién inventó la plancha eléctrica?

En 1882 el estadounidense Henry W. Seely presentó la plancha eléctrica, uno de los primeros utensilios domésticos que funcionaron con electricidad. Ahora, un elemento calefactor calienta la plancha, y un termostato controla el calor activando y desactivando la corriente para mantener la temperatura idónea.

¿SABÍAS QUE...?
La primera tostadora apareció en Estados Unidos en la década de 1930, pero la economía del país sufría una recesión y pocos podían comprarse una.

¿Cuándo se inventó la aspiradora?

En 1901 el ingeniero inglés Cecil Booth ideó un aparato para absorber el polvo. Probó la idea colocando un pañuelo en el extremo de la tobera y aspirando una silla polvorienta, y vio que el polvo quedaba atrapado en el pañuelo. Después, patentó la primera aspiradora, la «Puffing Billy», accionada por un motor de combustión interna de gasolina. Era tan grande que un carro tirado por un caballo tenía que arrastrarla de casa en casa.

ABAJO Las aspiradoras modernas tienen un pequeño motor eléctrico que hace girar un ventilador que succiona el aire y la suciedad a través de un filtro. La suciedad se recoge en una bolsa o en un receptáculo que se puede vaciar.

168

¿Cómo va el secador?

El primer secador de mano apareció en Estados Unidos en los años veinte y, aunque el diseño exterior haya cambiado, en la actualidad su funcionamiento es básicamente el mismo. Los secadores tienen hilos metálicos que se calientan al pasar por ellos la electricidad. Los hilos calientan el aire que pasa por el interior del aparato y sale por la boquilla impelido por un ventilador eléctrico. El aire caliente evapora el agua de los cabellos y los seca.

ventilador

filamentos calientes

motor eléctrico

boquilla

interruptor

¿Cuándo se inventó el robot de cocina?

El primer robot de cocina se fabricó en Francia en 1971 y se llamó Magimix. Estos aparatos ahorran tiempo y energía porque amasan, pican, cortan, trocean e incluso licúan diferentes alimentos. Funcionan mediante motores internos que convierten la electricidad en el movimiento giratorio que acciona las cuchillas y otros accesorios en el interior de un recipiente.

ARRIBA Mecanismo interno de una batidora de mano

169

HITOS DE LA VIDA COTIDIANA

| 400 a. C. Hipocaustos romanos | 100 a. C. Primeras monedas en China | 800 d. C. Los chinos inventan el papel moneda | 1596 Se inventa el inodoro | 1893 Aparece la cremallera |

DINERO

ARRIBA Las antiguas monedas chinas tenían muchas formas diferentes.

¿Quién inventó las monedas?

Las monedas de tosco metal aparecieron en China en el año 100 a. C. En el resto del mundo las primeras monedas fueron de plata. Antes de que se inventaran, las mercancías se trocaban o se usaban dientes de tiburón, conchas de cauri, plumas, sal o incluso pieles de ardilla como medio de pago. En 650 a. C. se acuñaron en Turquía monedas de plata de diferentes tamaños y pesos, que se pesaban y marcaban con su valor.

¿Cómo se hacen las monedas?

En la actualidad las monedas se hacen con metales baratos y ligeros. Grandes bobinas de láminas de metal se introducen en potentes máquinas que troquelan o cortan pequeños discos. Otras máquinas estampan el valor de la moneda en ambas caras de los discos, con palabras y dibujos que indican su procedencia.

ABAJO Las monedas se acuñan en las casas de la moneda.

ABAJO Las nuevas monedas se pesan en balanzas eléctricas.

1 Las láminas de metal pasan por la troqueladora, que corta los discos del tamaño adecuado.

2 Los discos se calientan, se enfrían y se lavan para suavizarlos.

3 La acuñadora estampa los distintivos de la moneda en los discos. La máquina fabrica 700 monedas por minuto.

RIBA Billetes de lar americano

¿Quién inventó el papel moneda?

Las monedas de oro y plata eran muy pesadas. En 800 d. C. los chinos inventaron un dinero más liviano: el papel moneda. En el siglo XV corría papel moneda por partes de Japón y la India, pero en Europa tocó cargar con monedas hasta 1660, aunque se tiene constancia también de formas primarias de papel moneda.

Qué son las tarjetas inteligentes?

oy día pagamos casi todo con tarjetas: de débito, crédito y, más recientemente, tarjetas inteligentes, as tarjetas de crédito que llevan un microchip que nacena información, como cuánto dinero tenemos la cuenta bancaria. Las tarjetas inteligentes se ventaron en 1982 para llamar por teléfono desde hinas, pero ahora sirven para pagar muchas cosas. uando compras algo con una tarjeta inteligente, el ip descuenta el importe del saldo inmediatamente.

¿SABÍAS QUE...?
Las tarjetas de crédito se inventaron en 1951 el día en que el estadounidense Frank McNamara se olvidó la cartera y dejó su tarjeta del Diners Club como garantía de pago.

crochip

ABAJO Las tarjetas de crédito y débito contienen información codificada y están conectadas directamente con el banco.

HITOS DE LA VIDA COTIDIANA

| 400 a. C. Hipocaustos romanos | 100 a. C. Primeras monedas en China | 800 d. C. Los chinos inventan el papel moneda | 1596 Se inventa el inodoro | 1893 Aparece la cremallera |

COMPRAS

ABAJO Harrods, uno de los grandes almacenes más famosos del mundo, en Navidad.

¿Cuándo se inventaron las tiendas?

Las primeras tiendas aparecieron en 650 a. C., en Turquía, donde circularon las primeras monedas de plata. Eran lugares establecidos donde se compraban y vendían productos. Antes se comerciaba en mercados periódicos. En el siglo XVIII aparecieron tiendas con varios departamentos que vendían distintos productos: los primeros grandes almacenes.

¿SABÍAS QUE...?
Los primeros supermercados de autoservicio con aparcamiento aparecieron en Estados Unidos hacia 1930.

DERECHA Caja registradora de James Ritty.

¿Quién inventó la caja registradora?

En 1879 un estadounidense llamado James Ritty inventó la caja registradora mecánica para evitar robos de sus empleados. Al pulsar las teclas, la máquina sumaba el importe que se debía cobrar y lo mostraba en una esfera que él veía. Hoy día la mayoría de las cajas registradoras leen códigos de barras y ya no hay que teclear números.

¿Cómo funcionan los códigos de barras?

Los códigos de barras son etiquetas con rayas blancas y negras que ahorran tiempo al pasar por caja. El láser de un lector de códigos emite un haz de luz que rebota en el código de barras. La caja registradora identifica automáticamente el producto y suma su precio a la factura. El primer producto con código de barras fue un paquete de chicles Wrigley's, hacia 1970.

ARRIBA El lector reconoce el código de barras de todos los productos de la tienda.

ABAJO Comprar en internet es fácil y rápido.

¿Qué es comprar en internet?

Comprar en internet es como pedir algo por eléfono, pero con el ordenador. Normalmente e paga mediante tarjeta de crédito y la tienda nvía el artículo a domicilio. La primera enda por internet fue Amazon.com, que mpezó a vender libros en 1995. Se dice ue el informático estadounidense Jeff Bezos nició el negocio desde su garaje.

173

HITOS DE LA VIDA COTIDIANA

400 a. C.	100 a. C.	800 d. C.	1596	1893
Hipocaustos	Primeras monedas	Los chinos inventan	Se inventa	Aparece la
romanos	en China	el papel moneda	el inodoro	cremallera

INDUMENTARIA

DERECHA Las cremalleras
que se abren por abajo
se inventaron en 1960.

¿Quién inventó la cremallera?

En 1893 el ingeniero estadounidense Whitcomb Judson
se cansó de atarse las botas y empezó a pensar en
algo más rápido para abrochárselas. Así,
inventó un cierre compuesto de una
serie de ganchos y ojales. La primera
cremallera moderna fue diseñada
en 1913 y patentada en 1917 por
Gideon Sundback. Una cremallera
tiene numerosos dientes de metal o
de plástico que se traban cuando se
tira del deslizador en un sentido y se
destraban al tirar en el sentido opuesto.

deslizador

diente

¿Dónde se inventó el impermeable?

El impermeable se inventó en 1823 en
Glasgow (Escocia), una ciudad muy
lluviosa. Para fabricar los chubasqueros,
a su creador se le ocurrió mezclar goma
con la tela y así hacerla impermeable. El
inventor fue Charles Macintosh. Algunos
chubasqueros modernos aún son de
goma y plástico, pero la mayoría
se hacen con fibras artificiales
recubiertas de plástico. Ciertos
tejidos se pueden revestir con un
material que repele el agua.
Así, el agua forma gotas sobre
el tejido y resbala en lugar
de calar.

01
spiradora
nbulante

1945
Se comercializan los
hornos microondas

1970
El primer código de
barras, en un chicle

1982
Tarjeta inteligente para
llamadas telefónicas

¿Cuándo se inventó el tejido artificial?

El primer tejido artificial, el nailon, se inventó en Estados Unidos en 1938 pero fue fabricado por científicos de Nueva York y Londres, por lo que se llamó «ny-lon». En 1959 Joseph Shivers inventó la lycra en Estados Unidos. Al igual que el nailon y la lycra, muchos tejidos nuevos, como el poliéster y el acrílico, están hechos con fibras plásticas obtenidas del petróleo.

ARRIBA La lycra es ligera, resistente y elástica.

ABAJO Con unas 25 botellas de plástico de dos litros se puede hacer un forro polar reciclado.

¿Cómo se hace un forro polar?

Muchos forros polares son de poliéster, pero el petróleo es un recurso limitado y algunos se hacen a partir de botellas de plástico reciclado. Las botellas usadas se desmenuzan, limpian, secan y funden. Entonces el plástico fundido se moldea en largos hilos de fibra que se hilan, tejen, cortan y cosen para obtener la prenda.

¿SABÍAS QUE...?
En 1907 George De Mestral ideó el velcro cuando, paseando a su perro, se dio cuenta de como los abrojos se le aferraban al pelo con sus ganchitos. Los cierres de velcro constan de dos tejidos, uno de ellos lleno de pequeños ganchos a los que se prenden los bucles del otro.

LAS COMUNICACIONES

El modo en que transmitimos información a los
demás es un aspecto importante de nuestras
vidas, y muchos ingeniosos inventos nos ayudan a
comunicarnos. Descubre de qué estaba hecho el
primer papel, cómo se escribía con plumas de ave
y cuándo se imprimió el primer libro. Conoce las
primeras palabras que se dijeron por teléfono y
cómo las radios difunden la voz por todo el mundo.
Aprende cómo han encogido los ordenadores, desde
el tamaño de una habitación hasta un compacto
portátil, cómo funciona el correo electrónico
y qué significa www.

HITOS DE LAS COMUNICACIONES

150 d. C.	500 d. C.	1450	1660	1844
Se inventa	Se escribe con	La primera	Funciona el servicio	Funciona el
el papel	plumas y tinta	imprenta	de correos	telégrafo eléctrico

PAPEL Y PLUMA

¿Cuándo se inventó el papel?

El primer papel, llamado papiro, lo inventaron en 3000 a. C. los antiguos egipcios, que machacaban los tallos de una especie de caña llamada juncia para formar láminas. Una vez secas, las láminas de papiro se enrollaban. El papel tal y como lo conocemos se inventó en China hacia 150 d. C. El cortesano Tsai Lun descubrió que, moliendo plantas leñosas y remojando sus fibras en agua, se obtenía una pulpa. El inventor la prensó y la secó, y así obtuvo las primeras hojas de papel.

ARRIBA Hasta que se conoció el papel, en Europa los libros y documentos se escribían en vitelas de piel de animal.

ARRIBA El arte chino de fabricar papel no llegó a Europa hasta mil años después de su invención hacia 1150.

¿Qué se usaba para escribir?

Hacia 3000 a. C. los antiguos escribas egipcios escribían en papiro con cañas huecas y tinta. En 150 d. C. los chinos adquirieron gran destreza en el arte de la caligrafía. Trazaban delicadas letras con tinta y pinceles hechos con tallos de bambú y mechones de pelo. Desde 500 d. C. hasta 1830, los escritores escribían con largas plumas de ganso. La punta de la pluma, o plumín, se afilaba con un cuchillo y se sumergía en tinta para escribir. En la década de 1880 se extendieron las plumas estilográficas con plumín de acero y cartucho de tinta.

DERECHA
El cálamo de la pluma absorbía tinta suficiente para escribir una frase.

178

76
inventa
teléfono

1896
Primer transmisor
de radio

1938
Aparece
el bolígrafo

1977
Primer ordenador
personal

1981
Internet se abre
al público

¿Quién inventó el bolígrafo?

En 1938 dos hermanos húngaros que vivían en Argentina diseñaron el primer bolígrafo. El periodista Ladislao Biro y su hermano Georg, químico, diseñaron una pluma que funcionaba con tinta de secado rápido. Tenía una bolita metálica en la punta, y por eso se llamó bolígrafo. Desde mediados de la década de 1940 este instrumento para la escritura se ha popularizado en todo el mundo.

IZQUIERDA Al escribir, la bola metálica gira en su cavidad y va aplicando la tinta de la carga sobre el papel.

BAJO Es posible escribir directamente sobre una pantalla táctil con un puntero. Después, las letras y números se almacenan en la memoria de la PDA.

¿SABÍAS QUE…?
En 2005 los científicos descubrieron cómo aplicar una película impermeable al papel. Se puede escribir en él con lápiz o bolígrafo, pero no se estropea al mojarse.

¿Qué lápiz escribe en una pantalla?

En la pantalla táctil de un asistente personal digital (PDA) se puede escribir directamente con un lápiz especial llamado puntero. Las PDA son miniordenadores de mano que sirven para guardar direcciones, tomar notas y grabar información. Con el puntero, se escribe tocando las teclas del teclado que aparece en la pantalla. Las primeras PDA con pantalla táctil se vendieron en Estados Unidos en 1996.

179

HITOS DE LAS COMUNICACIONES

150 d. C.	500 d. C.	1450	1660	1844
Se inventa	Se escribe con	La primera	Funciona el servicio	Funciona el
el papel	plumas y tinta	imprenta	de correos	telégrafo eléctrico

LA IMPRESIÓN

¿Por qué se inventó la imprenta?

Los primeros libros eran escasos y caros porque se escribían a mano. La invención de la imprenta permitió los tirajes rápidos de muchas copias de un libro para que lo leyeran más personas. El orfebre alemán Johann Gutenberg perfeccionó la primera imprenta en 1450. Unos bloques metálicos con las letras invertidas realzadas, llamados tipos, se colocaban en líneas para formar cada página. Después, los tipos se mojaban con tinta y se presionaban contra el papel para estampar cada página.

ARRIBA Con la imprenta de Gutenberg hacían falta dos o tres personas para obtener una página

¿SABÍAS QUE...?
Los primeros libros se imprimieron en China hacia 868 d C. Se tallaban palabras y dibujos en bloques de madera, que se entintaban y presionaban sobre el papel.

ABAJO Máquina de escribir de principios del siglo XX.

cinta de tinta

¿Qué es la máquina de escribir?

La primera máquina de escribir, fabricada por el estadounidense Christopher Sholes, se puso a la venta en 1874. Permitía a los mecanógrafos más rápidos obtener páginas impresas sin trabar las teclas, aunque el diseño les dificultaba un poco la tarea porque teclas de uso frecuente estaban en posiciones difíciles de pulsar.

La disposición QWERTYUIOP de las teclas, propuesta por Sholes, es la misma que la de los teclados de los ordenadores actuales.

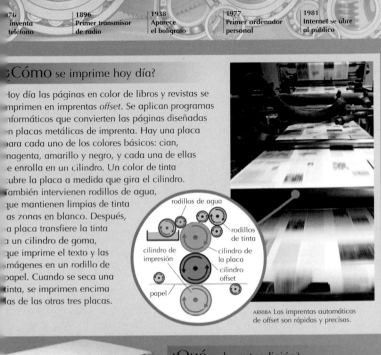

¿Cómo se imprime hoy día?

Hoy día las páginas en color de libros y revistas se imprimen en imprentas *offset*. Se aplican programas informáticos que convierten las páginas diseñadas en placas metálicas de imprenta. Hay una placa para cada uno de los colores básicos: cian, magenta, amarillo y negro, y cada una de ellas se enrolla en un cilindro. Un color de tinta cubre la placa a medida que gira el cilindro. También intervienen rodillos de agua, que mantienen limpias de tinta las zonas en blanco. Después, la placa transfiere la tinta a un cilindro de goma, que imprime el texto y las imágenes en un rodillo de papel. Cuando se seca una tinta, se imprimen encima las de las otras tres placas.

rodillos de agua

rodillos de tinta

cilindro de impresión

cilindro de la placa

cilindro offset

papel

ARRIBA Las imprentas automáticas de offset son rápidas y precisas.

ARRIBA Las impresoras láser se utilizan mucho para imprimir documentos personales.

¿Qué es la autoedición?

La autoedición nació en 1985, cuando se generalizaron los ordenadores y los procesadores de textos. Así, cada cual podía crear sus propios documentos e imprimirlos de forma asequible en una impresora láser. Las aplicaciones de autoedición permiten diseñar páginas con diferentes tipos de letra y encabezados, e incluir imágenes como fotos y gráficos. Cuando la impresora láser recibe los datos del ordenador, imprime rápida y silenciosamente las copias necesarias de las páginas, incluso en color

181

HITOS DE LAS COMUNICACIONES

150 d. C.	500 d. C.	1450	1660	1844
Se inventa el papel	Se escribe con plumas y tinta	La primera imprenta	Funciona el servicio de correos	Funciona el telégrafo eléctrico

TELÉFONOS

¿Qué era el telégrafo eléctrico?

El telégrafo eléctrico se usó por primera vez en 1844 para enviar un mensaje entre las ciudades de Washington y Baltimore. Este sistema de comunicación transmitía las letras del alfabeto mediante un código de puntos y rayas. Lo inventaron los estadounidenses Samuel Morse, Joseph Henry y Alfred Vail. El mensaje en código Morse se enviaba por un cable de una estación telegráfica a otra pulsando una tecla, que activaba y desactivaba la corriente. En el otro extremo un receptor registraba las señales como puntos y rayas. Después el código se traducía de nuevo en palabras.

¿SABÍAS QUE…?
El videoteléfono apareció hacia 1990 para que el hablante viera a la persona del otro lado de la línea. Una pequeña videocámara graba el rostro y la pantalla del videoteléfono recibe las imágenes.

DERECHA Con el telégrafo se enviaban mensajes en código Morse.

ABAJO Los primeros teléfonos no tenían dial ni teclas para marcar números. Un operador conectaba las llamadas.

micrófono para hablar

auricular para escuchar

¿Quién inventó el teléfono?

En 1875 el inventor escocés Alexander Graham Bell se convirtió en la primera persona que transmitió la voz humana por un cable eléctrico. Bell buscaba el modo de enviar varios mensajes telegráficos a la vez por un cable cuando derramó ácido sobre su ropa por accidente. Cuando gritó pidiendo ayuda, su asistente oyó las palabras «señor Watson, venga aquí por favor» a través del aparato que habían construido. Ese episodio dio lugar a la invención del teléfono, en 1876.

¿Cómo funciona un teléfono moderno?

Cuando se marca un número en el teclado, el teléfono envía una serie de señales eléctricas a través de la red telefónica hasta una centralita, donde potentes ordenadores dirigen la llamada a su destino. Segundos después el teléfono receptor suena. Los teléfonos convierten la voz en señales eléctricas que viajan por cables de cobre o se transforman en impulsos de luz y se envían por cables de fibra óptica, hechos de filamentos de vidrio. Las llamadas internacionales se encauzan mediante satélites, que transmiten las señales como ondas de radio.

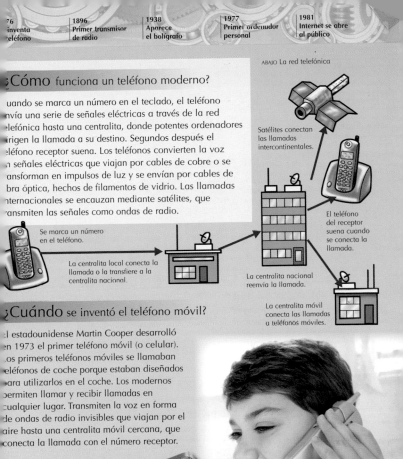

ABAJO La red telefónica

Satélites conectan las llamadas intercontinentales.

Se marca un número en el teléfono.

La centralita local conecta la llamada o la transfiere a la centralita nacional.

El teléfono del receptor suena cuando se conecta la llamada.

La centralita nacional reenvía la llamada.

La centralita móvil conecta las llamadas a teléfonos móviles.

¿Cuándo se inventó el teléfono móvil?

El estadounidense Martin Cooper desarrolló en 1973 el primer teléfono móvil (o celular). Los primeros teléfonos móviles se llamaban teléfonos de coche porque estaban diseñados para utilizarlos en el coche. Los modernos permiten llamar y recibir llamadas en cualquier lugar. Transmiten la voz en forma de ondas de radio invisibles que viajan por el aire hasta una centralita móvil cercana, que conecta la llamada con el número receptor.

DERECHA La información del teléfono móvil se guarda en una tarjeta SIM (módulo de identidad del abonado).

HITOS DE LAS COMUNICACIONES

150 d. C.	500 d. C.	1450	1660	1844
Se inventa	Se escribe con	La primera	Funciona el servicio	Funciona el
el papel	plumas y tinta	imprenta	de correos	telégrafo eléctrico

RADIO

¿Quién inventó la radio?

ABAJO Transmisor de radio de Marconi.

El ingeniero eléctrico italiano Guglielmo Marconi se basó en las ideas de otros inventores para construir el primer transmisor de radio en 1896. Empleaba chispas eléctricas para crear ondas de radio que se recibían en un receptor situado a 6,5 kilómetros. Los radiotransmisores funcionan convirtiendo el sonido en señales eléctricas, que después se convierten a su vez en ondas de radio y viajan a grandes distancias por el aire a la velocidad de la luz.

¿Cuál fue la primera emisión de radio?

ABAJO Las antiguas radios, como esta, recibían las señales sin necesidad de cables de telégrafo

Las primeras emisiones de radio fueron mensajes militares en código Morse. En 1906 el inventor canadiense Reginald Fessenden realizó la primera emisión civil en Estados Unidos: con su transmisor, ofreció al público música y la lectura de un pasaje de la Biblia. Sin embargo, su audiencia fue escasa, ya que los receptores domésticos no estuvieron disponibles hasta 1920.

¿SABÍAS QUE...?
El inventor británico Trevor Baylis diseñó la primera radio de cuerda en 1991. Se acciona girando una manivela, que carga las baterías.

876	1896	1938	1977	1981
• inventa	**Primer transmisor**	**Aparece**	**Primer ordenador**	**Internet se abre**
teléfono	**de radio**	**el bolígrafo**	**personal**	**al público**

¿Cuándo apareció la radio de transistores?

Las primeras radios portátiles aparecieron en 1954 gracias a la invención del transistor. Esos aparatitos amplifican las señales y sustituyeron enseguida las grandes válvulas de las primeras radios. Las radios de transistores funcionan con pilas porque el circuito requiere menos energía.

El transistor amplifica las señales de radio.

Las pilas permiten que las radios sean ligeras y portátiles.

ARRIBA El mando de sintonización permite seleccionar la emisora. Cada una emite sus programas en una longitud de onda diferente.

ABAJO Las radios digitales tienen una pantalla que muestra información sobre el programa.

¿Por qué se inventó la radio digital?

Las emisiones digitales de radio comenzaron en 1995 para ofrecer a los oyentes más programas, mejor calidad y mayor información sobre el programa. Las últimas radios digitales permiten detener, rebobinar y grabar programas en directo. La radio digital funciona convirtiendo sonidos y datos de texto en señales digitales que se transmiten como ondas de radio hasta la antena del receptor digital, equipado con el *software* necesario para descodificar las señales y convertirlas de nuevo en sonido y texto.

La antena recibe las ondas de radio emitidas por el transmisor.

185

HITOS DE LAS COMUNICACIONES

| 150 d. C. Se inventa el papel | 500 d. C. Se escribe con plumas y tinta | 1450 La primera imprenta | 1660 Funciona el servicio de correos | 1844 Funciona el telégrafo eléctrico |

ORDENADORES

ARRIBA El primer ordenador electrónico, llamado ENIAC, se utilizó para realizar cálculos científicos para el ejército de Estados Unidos.

¿Quién inventó el ordenador?

El matemático inglés Charles Babbage inventó un ordenador mecánico a vapor en 1822. Sin embargo, aún no existían ni la tecnología ni los fondos necesarios para fabricar aquella calculadora. En 1946 John Eckert y John Mauchly construyeron en Estados Unidos el primer ordenador programable. Esta enorme computadora automática ocupaba toda una habitación en la Universidad de Pensilvania.

¿SABÍAS QUE...?
Los ordenadores más rápidos del mundo se llaman superordenadores. En un segundo realizan cálculos que una calculadora tardaría 10 años en computar.

¿Cuál fue el primer PC?

Los primeros ordenadores personales (PC) aparecieron hacia 1970. Los estadounidenses Steve Jobs y Steve Wozniak construyeron el primer PC para uso doméstico en 1977. Su ordenador Apple II consistía en una carcasa integrada con pantalla en color y teclado. Hoy día los ordenadores se programan para realizar muchas tareas diferentes, desde procesar textos o realizar cálculos hasta jugar a videojuegos.

ABAJO El ordenador personal Apple II.

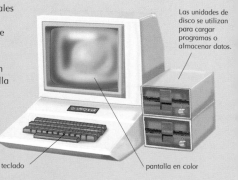

Las unidades de disco se utilizan para cargar programas o almacenar datos.

teclado

pantalla en color

ABAJO La carcasa aloja los componentes que hacen funcionar el ordenador, como unidades de disco, el procesador y la memoria RAM.

¿Cómo funciona un ordenador?

Los ordenadores electrónicos procesan datos a gran velocidad, ya sean textos, cifras, imágenes o sonidos, y realizan tareas siguiendo las instrucciones de las aplicaciones que se cargan en el dispositivo. El corazón del ordenador es la unidad central, que contiene el procesador (o CPU), el cual controla todas las operaciones del PC. La CPU es un microprocesador, un pequeño chip de silicio que contiene circuitos electrónicos. Los datos se almacenan y recuperan mediante chips de memoria RAM.

microprocesador

memoria RAM

¿Qué es un ordenador portátil?

DERECHA
Los ordenadores portátiles se pueden llevar a cualquier parte.

Los ordenadores portátiles son pequeños ordenadores alimentados con una batería. Se inventaron en 1982 para que los profesionales pudieran acceder a su trabajo fuera de la oficina, por ejemplo, en un avión o desde casa. Los portátiles tienen las mismas piezas y posibilidades que los PC, pero caben en un maletín. Son como una caja plana con pantalla y teclado integrados. El cursor se controla mediante un panel táctil en lugar de un ratón.

panel táctil

HITOS DE LAS COMUNICACIONES

150 d. C.	500 d. C.	1450	1660	1844
Se inventa el papel	Se escribe con plumas y tinta	La primera imprenta	Funciona el servicio de correos	Funciona el telégrafo eléctrico

CORREO

El Penny Black británico fue el primer sello de correos engomado del mundo. Llevaba impreso un retrato de la reina Victoria.

¿Cuál fue el primer servicio postal?

En 1660 entró en funcionamiento en Inglaterra el primer servicio postal, con el nombre de Royal Mail porque despachaba principalmente cartas reales y del Gobierno. Las tarifas dependían de la distancia recorrida y el servicio se pagaba en el destino. El inglés Rowland Hill inventó los sellos de prepago en 1840. Cada estampilla costaba un penique y permitió enviar una carta a cualquier rincón de Gran Bretaña

¿SABÍAS QUE...?
El fax y el correo electrónico son mucho más rápidos que el servicio postal.

¿Quién inventó las postales?

El estadounidense John P. Charlton inventó las postales, que el papelero Hyman L. Lipman imprimió sobre 1861. Eran tarjetas lisas con un sencillo dibujo en el borde. En 1873 las tarjetas postales franqueadas se popularizaron en Europa y Estados Unidos. Las postales con motivos estampados se desarrollaron en la década de 1890 y estuvieron muy en boga para enviar mensajes hasta la Primera Guerra Mundial.

ARRIBA En 1902 Inglaterra fue el primer país en el que se imprimieron postales con una imagen en el anverso. El mensaje y la dirección del destinatario se escribían en el reverso.

RECHA Un aparato fax envía y recibe xes.

El documento se introduce en el fax, que lo escanea.

FAX

s faxes se vían por vía lefónica.

¿Qué es un fax?

El fax se utilizó por primera vez a finales de los años ochenta para enviar cartas, documentos e imágenes de forma electrónica. Un fax escanea la imagen de un documento midiendo la oscuridad de las sombras en miles de puntos de la página. Esa información se convierte en señales eléctricas que se transmiten por la red telefónica hasta el fax receptor. El aparato produce una copia del documento original imprimiendo a su vez las zonas oscuras de la página como miles de pequeños puntos.

ABAJO Internet hace posible enviar el mismo mensaje a muchas personas a la vez. Se pueden adjuntar fotos, canciones y vídeos al mensaje de texto.

Quién inventó el correo electrónico?

n 1971 el programador informático estadounidense ay Tomlinson inventó el correo electrónico o *e-mail*. omlinson estaba trabajando en un programa que ermitiera a varios usuarios de un mismo ordenador nviarse mensajes de texto cuando comprendió que u invento podía comunicar ordenadores distintos. l correo electrónico permite enviar recibir mensajes de forma rápida y sequible mediante ordenadores onectados por línea telefónica a nternet, una red mundial. Hoy día es osible enviar un mensaje a cualquier ersona del mundo que tenga irección de correo electrónico.

189

HITOS DE LAS COMUNICACIONES

| 150 d. C. Se inventa el papel | 500 d. C. Se escribe con plumas y tinta | 1450 La primera imprenta | 1660 Funciona el servicio de correos | 1844 Funciona el telégrafo eléctrico |

INTERNET

¿Cuándo se abrió internet?

La red informática internet se abrió al público en universidades y escuelas en 1981. El departamento de defensa estadounidense, que buscaba una nueva forma de comunicación entre sus grandes ordenadores, estableció la red en la década de 1960. Hoy día internet une millones de ordenadores y permite comunicarse e intercambiar información con todo el mundo

IZQUIERDA Los cibercafés permiten acceder a información de todo el mundo en unos segundos.

IZQUIERDA Internet permite enviar en unos segundos mensajes de texto, sonido e incluso vídeo a una dirección de correo electrónico que esté en cualquier lugar del mundo.

¿Cómo funciona internet?

Los ordenadores personales se conectan a internet mediante un módem. Ese aparato convierte el texto, las imágenes, el sonido y el vídeo en señales eléctricas que se envían a través de la línea telefónica o de un cable especial hasta el potente ordenador de un proveedor de servicios de internet. Desde ahí la señal se transfiere a otros ordenadores conectados a internet hasta llegar a su destino. El módem del ordenador receptor convierte de nuevo las señales eléctricas en los datos originales y los muestra en la pantalla.

proveedor de internet

76	1896	1938	1977	1981
inventa	Primer transmisor	Aparece	Primer ordenador	Internet se abre
teléfono	de radio	el bolígrafo	personal	al público

¿Quién inventó la WWW?

l informático británico Timothy Berners-Lee inventó
a WWW (World Wide Web) en 1989. Se trata de
na colección de millones de archivos o páginas de
nformación alojadas en servidores de universidades,
useos, gobiernos, empresas y particulares de todo el
undo. Berners-Lee desarrolló aplicaciones que enlazaran
oda esa información por internet. Con el navegador web
e un ordenador conectado a internet se pueden hacer
búsquedas en la WWW y ver determinadas
páginas de interés escribiendo su
dirección web (www.).

IZQUIERDA El cable de fibra óptica,
hecho de vidrio flexible, transporta
señales lumínicas a gran velocidad.

¿SABÍAS QUE...?
La mayor parte de los datos
enviados por los ordenadores y
otras formas de comunicación
viaja a gran velocidad en forma
de impulsos láser a través de
fibras ópticas, unos filamentos
de vidrio tan delgados como
un cabello.

¿Qué es el acceso de banda ancha?

Los ordenadores con conexión de banda ancha
a internet pueden acceder a la web con mayor
velocidad que nunca. Las conexiones de banda
ancha funcionan con un módem de alta velocidad
y redes de cable de fibra óptica. Así se transmiten y
reciben datos de todo tipo mucho
más rápido que con el
sistema convencional de
módem y red telefónica.
La fibra óptica
transporta más datos
en el mismo tiempo y
con ella es más fácil
descargar grandes
archivos, como juegos,
vídeos o música.

DERECHA Con la banda ancha
se reciben rápidamente
grandes archivos de datos.

191

EL OCIO

Los juguetes y los juegos se inventaron para divertirnos. Descubre cómo suenan las guitarras, cómo funciona un reproductor de CD y quién inventó los reproductores de MP3. Conoce las fotos que tardaban ocho horas en aparecer y entiende cómo los cines en tres dimensiones proyectan imágenes que parece que se salgan de la pantalla. Aprende sobre el paso de la televisión en blanco y negro al DVD, con el que incluso se pueden detener las escenas de acción en directo.

HITOS DEL OCIO

4000 a. C.	1000 a. C.	1700 d. C.	1827	1878
El juego de	El yoyó se populariza	Se construye el	Se revela la	El fonógrafo
mesa senet	en Grecia	primer piano	primera fotografía	de Edison

INSTRUMENTOS MUSICALES

¿Cómo funciona un piano?

Un piano es un instrumento con un teclado de teclas blancas y negras. Al pulsar una tecla, un martillo cubierto de fieltro golpea una o más cuerdas, que, al vibrar producen una nota. Al retirar el dedo, una pieza llamada amortiguador detiene la vibración de las cuerdas. Bartolomeo Cristofori di Francesco, fabricante de instrumentos italiano, fue quien inventó el piano, en 1700.

DERECHA Las cuerdas de un piano de cola moderno se colocan en vertical en un bastidor de metal.

caja de resonancia

clavijas

trastes

cuerdas

cuerda

martillo

tecla

amortiguador

puente

IZQUIERDA En lugar de caja de resonancia, la guitarra eléctrica tiene una pastilla magnética que convierte la vibración de las cuerdas en señales eléctricas. Un amplificador las transforma después en sonidos.

¿Cuándo se inventó la guitarr

Hacia 1830 el fabricante español de guitarras Antonio de Torres observó que la forma de la caja de resonancia y el tamaño del cuerpo hueco podían mejora el sonido de una guitarra. Construyó una guitarra con tapa arqueada de madera y lados y fondo de papel maché.

194

ABAJO El trombonista cambia el tono de la nota deslizando arriba y abajo una sección del tubo.

¿Qué es un instrumento de viento?

Un instrumento de viento es un tubo hueco en el que se sopla para hacer música. Al soplar, el aire pasa por una boquilla o lengüeta y vibra dentro del tubo, lo que produce una nota. La longitud del tubo determina el tono de la nota y se altera tapando los agujeros del tubo. Los instrumentos de viento pueden ser de madera, de bronce o de distintos tipos de plástico.

DERECHA El oboe tiene una lengüeta doble y agujeros que el músico va tapando con los dedos.

ARRIBA La zampoña se compone de varios tubos huecos, cada uno de los cuales produce una nota diferente.

¿Quién inventó el sintetizador?

El canadiense Hugh Le Caine fabricó el primer sintetizador musical en 1945. Lo llamó Sackbut y lo construyó dentro de un escritorio. Un sintetizador es un instrumento electrónico que imita el sonido de instrumentos musicales, así como sonidos electrónicos. Un sintetizador suele tener un teclado con varios controles para seleccionar sonidos, subir y bajar el volumen y añadir ecos y otros efectos.

IZQUIERDA Los teclados emiten todo tipo de sonidos. Algunos incluso generan distintos efectos de sonido en respuesta a movimientos.

195

HITOS DEL OCIO

4000 a. C.	1000 a. C.	1700 d. C.	1827	1878
El juego de	El yoyó se populariza	Se construye el	Se revela la	El fonógrafo
mesa senet	en Grecia	primer piano	primera fotografía	de Edison

REPRODUCTORES

¿Quién inventó el primer reproductor?

El estadounidense Thomas Alva Edison fabricó el primer reproductor, el fonógrafo, en 1878. Fue la primera persona que grabó y reprodujo un sonido. Edison consiguió registrar sonido en un cilindro giratorio recubierto de papel de estaño. El sonido producía vibraciones que hacían que una aguja grabara surcos en el cilindro. Al volver a dar vueltas al cilindro, el sonido se reproducía.

IZQUIERDA El fonógrafo de Edison obtuvo un éxito inmediato, pero los cilindros de estaño se gastaban enseguida.

¿Cuándo se inventaron los discos?

En 1888 el alemán Emile Berliner inventó el gramófono, un reproductor del sonido grabado en un disco plano. Se accionaba una manivela para dar vueltas y escuchar el disco, que sólo duraban dos minutos. En 1948 se inventó el disco de larga duración (LP), y por fin los reproductores pudieron ofrecer largas secuencias musicales.

ABAJO Los sonidos se graban en el disco en una larga espiral que empieza en el borde y acaba en el centro.

DERECHA Estos discos son sencillos: cada cara contiene una pieza musical corta.

ARRIBA La aguja descansa en la ranura. Mientras el disco gira, la aguja vibra, modificando la corriente eléctrica que llega al altavoz.

196

95
imera película
los Lumière

1902
Nace el osito
de peluche

1925
Logie Baird inventa
la televisión

1962
Emisión televisiva
por satélite

1989
Se inventa la
Game Boy

¿SABÍAS QUE…?

Cuando en 1979 salió a la venta el Walkman de Sony, fue el primer radiocasete estéreo lo bastante pequeño como para llevarlo encima.

¿Cómo funciona un reproductor de CD?

A diferencia de los discos, las grabaciones electrónicas no almacenan una señal continua. En un CD están registrados una serie de picos separados por zonas planas llamadas valles. Cuando un haz láser recorre el CD y detecta un cambio de pico a valle o viceversa, produce el número 1. Si no detecta cambios, produce un 0. El reproductor de CD convierte la secuencia en corriente eléctrica y, después, en sonido.

ABAJO Los sonidos se graban en el disco de plástico desde el centro hacia el borde.

eje del disco

haz láser

¿Qué es un reproductor MP3?

Un reproductor de MP3 es un pequeño reproductor musical portátil que almacena la música como información digital en un disco duro. Los datos se comprimen: se graban de forma que ocupen menos espacio en el disco. Así, un reproductor puede guardar varias horas de música. Se puede grabar la música desde un CD o descargar de internet en el ordenador y transferirla al reproductor. Una pantalla permite seleccionar un álbum o lista de reproducción para escucharla con los auriculares. El investigador alemán Karlheinz Brandenburg inventó el formato MP3 en 1987.

ABAJO El iPod, desarrollado por Apple, reproduce música grabada en distintos formatos digitales.

IZQUIERDA El primer reproductor de CD apareció en 1982.

197

HITOS DEL OCIO

4000 a. C.	1000 a. C.	1700 d. C.	1827	1878
El juego de	El yoyó se populariza	Se construye el	Se revela la	El fonógrafo
mesa senet	en Grecia	primer piano	primera fotografía	de Edison

CÁMARAS

¿Quién hizo la primera foto?

El francés Joseph Niépce hizo la primera fotografía en 1827. Colocó una placa metálica recubierta de productos químicos fotosensibles en el interior de una caja que sólo dejaba entrar luz por una lente situada delante. Ocho horas después apareció en la placa la imagen de la vista de la ventana. Después, Niépce y otros desarrollaron placas que permitían hacer fotos más rápido.

ARRIBA
Cámara de placas

¿SABÍAS QUE...?
La cámara oscura, inventada en Italia en el siglo XVI, era una habitación sin luz con un agujerito que proyectaba la vista exterior en la pared.

¿Cuándo se inventó el carrete de película?

En 1888 el estadounidense George Eastman fabricó una cámara que hacía fotos en un carrete de papel película. El rollo permitía sacar varias fotos sin tener que cambiar la placa después de cada una. También abrió paso a la reducción del tamaño de las cámaras. En 1900 Kodak, la empresa de Eastman, sacó al mercado la primera cámara popular, la Box Brownie, que valía un dólar.

DERECHA El eslogan de Kodak era «Tú pulsa el botón, nosotros hacemos el resto».

película

disparador

ajustes de la cámara

¿Qué es una cámara réflex?

La cámara réflex, inventada en 1935, permite al fotógrafo ver por el visor cómo será la foto con toda seguridad. En otras cámaras la imagen que da el visor es ligeramente diferente a la que penetra en el objetivo. Al hacer una foto con cámara réflex, un espejo se levanta para que la luz incida en la película en vez de pasar al visor.

ABAJO En una cámara digital un microchip fotosensible CMOS convierte la luz en señales eléctricas.

Al pulsar el disparador, el obturador queda abierto las fracciones de segundo necesarias para que la luz incida en la película.

Para obtener una imagen nítida, se enfoca girando las anillos del objetivo. Algunas cámaras réflex son de enfoque automático.

Una cámara réflex

CMOS

¿Cómo funciona una cámara digital?

La cámara digital, inventada en 1988, tiene un sensor de luz en lugar de película. El sensor es una pantalla dividida en pequeños cuadrados llamados píxeles. Los píxeles miden los diferentes colores de la luz que forma la imagen y un microchip convierte esos datos en una secuencia de números. Las imágenes se almacenan en la memoria de la cámara y en tarjetas extraíbles.

199

HITOS DEL OCIO

4000 a. C.	1000 a. C.	1700 d. C.	1827	1878
El juego de mesa senet	El yoyó se populariza en Grecia	Se construye el primer piano	Se revela la primera fotografía	El fonógrafo de Edison

CINE

¿Quién inventó el cine?

Auguste y Louis Lumière, de Lyon (Francia), inventaron el cine. En diciembre de 1895 mostraron al público imágenes en movimiento de los trabajadores de una fábrica. Su cinematógrafo tomaba muchas fotos en serie en un largo rollo de película de celuloide. Después, se proyectaba la película sobre la pared haciendo que la luz la atravesara.

ARRIBA Una luz atravesaba las imágenes cuando pasaban por delante de la lente.

¿SABÍAS QUE...?
Toy Story, estrenada en 1995, fue el primer largometraje de animación por ordenador. Programas gráficos especiales produjeron la mayor parte de las imágenes del vaquero Woody y el astronauta Buzz Lightyear.

¿Cuándo se rodó la primera película sonora?

Phonofilm rodó en 1923 los primeros cortometrajes sonoros. Con el nuevo proceso, el sonido se grababa en una franja del borde de la película para que quedara sincronizado con la imagen. Antes, el único sonido en los cines procedía de un músico, como un pianista, que tocaba para acompañar la película. La película *El cantante de Jazz*, de 1927, fue la primera en la que los actores hablaban.

IZQUIERDA Una cámara y un micrófono graban imagen y sonido simultáneamente.

imagen

Banda sonora de la película

200

¿Cómo vemos las imágenes móviles?

La movilidad de las imágenes se debe a un efecto óptico. Cada imagen o fotograma de una secuencia muestra el mismo objeto en posiciones ligeramente distintas. Si los fotogramas se pasan con suficiente rapidez, parece que los objetos se muevan. La película pasa por un aparato que proyecta luz a través de ella para que las imágenes se vean en una superficie blanca.

Se proyecta luz

IZQUIERDA La película pasa por el proyector y un haz de luz proyecta la imagen a través de una lente.

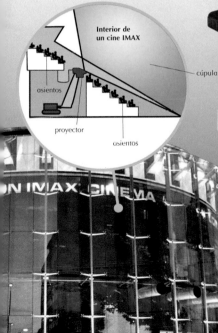

Interior de un cine IMAX

cúpula

asientos

proyector

asientos

¿Qué es un cine IMAX en 3D?

Los cines IMAX en 3D proyectan películas tridimensionales en grandes pantallas envolventes. Las cámaras IMAX graban la misma escena en dos carretes de película mediante objetivos separados 6,3 cm, la distancia media entre los ojos. Los dos carretes se proyectan al mismo tiempo. Los espectadores se ponen gafas especiales para que cada ojo vea las imágenes correctas.

IZQUIERDA El cine Imax de Londres tiene una pantalla tan alta como 5 autobuses de dos pisos.

HITOS DEL OCIO

4000 a. C.	1000 a. C.	1700 d. C.	1827	1878
El juego de mesa senet	El yoyó se populariza en Grecia	Se construye el primer piano	Se revela la primera fotografía	El fonógrafo de Edison

TELEVISIÓN

¿Quién inventó la televisión?

En 1925 el inventor escocés John Logie Baird emitió la primera imagen reconocible por televisión. Por desgracia, su aparato mecánico daba dolor de cabeza. El ingeniero ruso Isaac Shoenberg logró un sistema electrónico mejor en 1936. Pero fue un compatriota suyo, Vladimir Zworykin, quien adaptó un tubo de rayos catódicos para formar y mostrar imágenes.

IZQUIERDA La primera televisión, de Logie Baird.

¿Cuando tuvo lugar la primera retransmisión televisiva?

La BBC empezó a retransmitir con regularidad programas de televisión en 1936 desde Londres. Cámaras de televisión convertían cada segundo de imagen y sonido en señales eléctricas. Los transmisores amplificaban la señal para que pudiera recorrer largas distancias por el aire. Las antenas recibían las señales y el tubo de rayos catódicos las convertía en imágenes en movimiento en la pantalla.

tubo de rayos catódicos

electrones

Un televisor

pantalla recubierta de fósforo

ARRIBA
En el tubo de rayos catódicos haces de electrones golpean el fósforo que recubre el interior de la pantalla, que brilla para formar la imagen.

ARRIBA Programa de televisión emitido desde un estudio hacia 1960.

ARRIBA La televisión fue en blanco y negro hasta los años sesenta.

Satélite en el espacio

Programa emitido desde el estudio al satélite

La antena parabólica recibe las imágenes del satélite.

¿Cuándo se emitió por satélite?

La primera retransmisión televisiva vía satélite tuvo lugar en julio de 1962 con el satélite de comunicaciones Telstar 1 y envió imágenes de la bandera de Estados Unidos al otro lado del Atlántico. En la televisión vía satélite, un transmisor terrestre emite señales al espacio. El satélite rebota la señal hacia diferentes puntos de la Tierra, donde se recibe con antenas parabólicas conectadas al televisor.

El descodificador convierte las señales recibidas vía cable o satélite en imágenes de televisión.

¿Qué es la televisión digital?

La televisión digital funciona con señales que producen imágenes más nítidas y mejor sonido que las analógicas convencionales. Las señales digitales transportan más canales y otros datos, como información sobre los programas. Este tipo de televisión es interactiva. Por ejemplo, los espectadores pueden participar en concursos o adquirir programas desde el televisor.

¿SABÍAS QUE...?
Los grandes televisores de pantalla plana son más ligeros que los de tubos de rayos catódicos y se pueden colgar de la pared como un cuadro.

El mando a distancia cambia los ajustes del televisor con rayos infrarrojos.

HITOS DEL OCIO

4000 a. C.	1000 a. C.	1700 d. C.	1827	1878
El juego de	El yoyó se populariza	Se construye el	Se revela la	El fonógrafo
mesa senet	en Grecia	primer piano	primera fotografía	de Edison

VÍDEO Y DVD

¿Quién inventó el vídeo?

La empresa Ampex desarrolló el vídeo en
1956 para que los estudios de televisión
pudieran grabar programas y emitirlos
después o varias veces. Las máquinas Ampex
grababan las señales de televisión como
patrones magnéticos en carretes de cinta
de plástico de 5 cm. Pero eran demasiado
caros: un solo carrete de cinta costaba el
equivalente a unos 1.500 euros actuales.

ARRIBA La grabadora Ampex VTR se
anunció por primera vez en Chicago
el 14 de abril de 1956.

DERECHA Las cintas de
vídeo son más grandes
que los CD y DVD,
pues la información se
almacena en una larga
cinta magnética.

cabezal de audio

cinta
magnética

ARRIBA La cinta va de un
carrete al otro pasando
por un cabezal de audio.

carrete

carrete

¿SABÍAS QUE...?
Las grabadoras digitales
de vídeo almacenan las
imágenes en un disco
duro, sin cintas ni DVD.
Pueden detener programas
en directo y reproducir
al instante escenas
interesantes.

¿Cuándo se inventó el vídeo doméstico?

Sony fabricó la primera grabadora de vídeo para
uso doméstico en 1964. Pero no era fácil cambiar
la cinta, de modo que no se podía grabar demasiado
con ella. En 1971 Philips presentó un vídeo con
una cinta extraíble en un casete. Varias empresas
comercializaron distintos sistemas de vídeo, pero
en 1978 JVC lanzó el VHS, que se convirtió en el
estándar mundial.

¿Quién inventó la videocámara?

En 1983 Sony lanzó la primera videocámara portátil para uso doméstico con cámara y vídeo en una sola unidad. La Betamovie era tan grande que había que apoyársela en el hombro. La década siguiente fue la era de los vídeos domésticos. Las videocámaras y las cintas de vídeo fueron cada vez más pequeñas, con mejores objetivos y sensores digitales.

La imagen se ve en pantalla cuando se graba y se puede reproducir enseguida.

ARRIBA
Las videocámaras modernas son pequeñas y ligeras.

Los resaltes de la superficie del DVD se leen mediante un rayo láser infrarrojo.

IZQUIERDA En una cara del DVD se registran una serie de capas o resaltes microscópicos.

ABAJO El DVD salió al mercado en Japón en 1996.

IZQUIERDA Un DVD almacena desde 4,5 hasta 17 GB de información.

¿Qué es un DVD?

Un DVD es un disco de imagen digital. El DVD, desarrollado a finales de los años noventa, sustituyó al sistema VHS como formato habitual para reproducir vídeo pregrabado, no sólo en el televisor, sino también en el ordenador. Los DVD se controlan mediante un menú que permite ir directamente a una escena, ver extras o seleccionar un idioma distinto. Desde 2005 se han popularizado las grabadoras de DVD para uso doméstico.

205

HITOS DEL OCIO

| 4000 a. C. El juego de mesa senet | 1000 a. C. El yoyó se populariza en Grecia | 1700 d. C. Se construye el primer piano | 1827 Se revela la primera fotografía | 1878 El fonógrafo de Edison |

JUGUETES Y JUEGOS

¿Dónde se hizo el primer juguete?

ARRIBA El aro era un juguete popular en el siglo XIX.

Es probable que los primeros juguetes fueran unas canicas de mármol hechas en el antiguo Egipto hacia 3000 a. C. Hacia 1000 a. C. se jugaba en Grecia con yoyós de piedra y se hacían muñecas, juguetes y juegos de madera, marfil y piel. En el siglo XIX gustaban los juguetes de cuerda y las cajas de música, y la cabeza de las muñecas era de porcelana.

ARRIBA
Mono de cuerda

El plástico se convirtió en material habitual para hacer juguetes en el siglo XX.

IZQUIERDA Aún se sigue jugando a las canicas.

DERECHA Peonza musical

¿Quién inventó el osito de peluche?

En 1902 Morris Michtom inventó en Estados Unidos el osito de peluche, que se llamó «Teddy Bear» en honor del presidente Theodore «Teddy» Roosevelt. Durante una cacería de osos, Roosevelt ordenó rematar a un ejemplar herido para que no sufriera. En los periódicos, el oso apareció dibujado como un listo osezno, que pronto se conoció como «Teddy's Bear». Cuando Michtom empezó a vender en su tienda muñecos que reproducían el oso, Roosevelt dio permiso para que se llamaran «Teddy Bears».

¿Cuándo se inventaron los juegos de mesa?

Ya en las más antiguas culturas, por ejemplo, en la babilónica desde 4000 a. C., se practicaban juegos de mesa como el backgammon, el ajedrez o las damas. Una de las principales actividades recreativas para los antiguos egipcios era un juego de mesa llamado senet. El moderno Scrabble se inventó en 1931, y el Monopoly surgió en Estados Unidos en 1933. Hoy día muchos juegos de mesa llevan botones y zumbadores electrónicos en lugar de fichas que se mueven con los dedos.

ARRIBA El senet era un juego tan popular en el antiguo Egipto que aparece representado en las tumbas de los faraones.

¿SABÍAS QUE...?
El nombre de Lego viene del danés *leg godt*, que significa «juega bien». El fabricante danés de juguetes Ole Christiansen inventó las piezas de Lego en 1949.

¿Qué es un juguete inteligente?

Los juguetes inteligentes son juguetes electrónicos que llevan un microchip informático que les permite hacer diferentes trucos ingeniosos. Algunos coches de juguete se pueden controlar con un mando o programar con un ordenador. Hay robots que pueden ver, hablar e incluso bailar, y hay casas de muñecas con personajes digitales que se relacionan entre sí.

IZQUIERDA Robert Adler inventó el control remoto sin cable en 1956.

207

GRANDES INVENTORES

Esta es una lista en orden alfabético de los inventores mencionados en el libro, con una breve biografía de cada uno y anécdotas sobre qué les inspiró para llevar a cabo tan sorprendentes inventos.

Rey ALFREDO
(849-899, inglés, p. 151)

«Alfredo el Grande», rey de Inglaterra, fundó la armada británica e inventó el reloj de vela el año 890 d. C.

ARQUÍMEDES
(287-212 a. C., griego, p. 23)

Es conocida la historia de Arquímedes, que sale del baño gritando «¡Eureka!» («¡Lo encontré!»). Descubrió que con el principio del desplazamiento podía demostrar que una corona no era de oro puro. Metió la corona en el agua, marcó la subida del nivel e hizo lo mismo con un bloque de oro del mismo peso. El agua subió hasta un nivel inferior, por lo que el oro de la corona debía de estar mezclado con otro metal.

Richard ARKWRIGHT
(1732-1792, inglés, p. 63)

Richard Arkwright, fabricante de pelucas, no aprendió a leer hasta la edad adulta. Las máquinas de hilar y de tejer que inventó convirtieron su ciudad natal de Lancashire en el centro de la industria del algodón.

Charles BABBAGE
(1792-1871, inglés, p. 186)

Charles Babbage fue un matemático que pasó la mayor parte de su vida intentando fabricar un «motor analítico», una calculadora mecánica. Aunque nunca llegó a completar su proyecto, este lo hizo merecedor del título de «abuelo del ordenador moderno», porque sus ideas dieron lugar a los ordenadores actuales.

Leo BAEKELAND
(1863-1944, belga, p. 64)

Leo Baekeland sabía que, si lograba inventar un plástico artificial y barato, se haría rico. Trabajó durante años con un asistente en un laboratorio habilitado en el granero, hasta descubrir la baquelita.

Alexander BAIN
(1811-1877, escocés, p. 153)

En el colegio Alexander Bain era de los últimos de la clase, pero gracias a su fascinación por los relojes y a la inspiración de una conferencia de ciencias a la que asistió con 12 años se convirtió en un gran inventor de relojes eléctricos y aparatos de telégrafo.

John Logie BAIRD
(1888-1946, escocés, p. 202)

John Logie Baird intentó inventar muchas cosas, la mayoría de las veces sin fortuna, antes de intentarlo con el primer televisor. Estaba hecho de artículos de desecho, como latas de galletas atadas con cordeles. También realizó las primeras demostraciones del sonido estéreo y de la televisión en color.

Trevor BAYLIS
(1937-, inglés, p. 184)

Trevor Baylis inventó la radio de cuerda después de ver un programa de televisión sobre las personas que, en África, no oyen hablar del SIDA por la radio porque no tienen pilas ni electricidad.

Alexandre-Edmond BECQUEREL
(1820-1891, francés, p. 57)

Alexandre-Edmond Becquerel descubrió las células fotovoltaicas para aprovechar energía solar a raíz de su interés por los rayos X. Todo ello lo llevó a su descubrimiento más importante: la radioactividad.

Alexander Graham BELL
(1847-1922, escocés, p. 182)

El interés de Alexander Graham Bell en la escucha y el habla lo impulsó a inventar el teléfono. Sus primeros intentos incluyeron la creación de un telégrafo armónico en el que los mensajes se enviaban como notas musicales. Invirtió parte del dinero que ganó con el éxito del teléfono en abrir una escuela para profesores de sordos.

Karl BENZ
(1844-1929, alemán, p. 74)

A nadie le interesaba el coche de tres ruedas inventado por Karl Benz hasta que él, su mujer y dos hijos recorrieron 100 km en una noche. El público quedó atónito y comenzó la industria automovilística. El nombre de Benz perdura en los automóviles Mercedes-Benz.

Emile BERLINER
(1851-1929, alemán nacionalizado estadounidense, p. 196)

Emile Berliner trabajaba para la compañía telefónica Bell. Llevó a cabo sus propias investigaciones para hallar el modo de grabar sonidos y desarrolló el micrófono, el disco grabable y el gramófono.

Timothy BERNERS-LEE
(1955-, inglés, p. 191)

Los padres de Timothy Berners-Lee eran grandes matemáticos que ayudaron a desarrollar una de las primeras computadoras. Timothy creó la WWW, que convirtió internet en una forma sencilla de comunicación.

Jeff BEZOS
(1964-, estadounidense, p. 173)

De niño, Jeff Bezos convirtió el garaje de sus padres en un laboratorio para sus proyectos. Ya en su juventud lanzó Amazon, la primera tienda por internet.

Clarence BIRDSEYE
(1886-1956, estadounidense, p. 29)

En 1912, durante un viaje a Canadá, vio que la gente congelaba pescado fresco en barriles de agua y hielo

Cuando, meses después, los descongelaban y consumían, aún estaban frescos. En 1922 fundó su propia empresa, Birdseye Seafoods Inc., y en 1930 vendía 26 productos congelados.

Georg y Ladislao BIRO
(1900-1985, húngaros, p. 179)

Al periodista Ladislao Biro se le ocurrió la idea de un bolígrafo cuando vio la tinta de secado rápido que usaban en la imprenta del periódico. Desarrolló la idea con su hermano Georg, químico.

Cecil BOOTH
(1871-1955, inglés, p. 168)

Cecil Booth inventó la aspiradora en 1901, y en 1902 limpió con ella la alfombra para el día de la coronación del rey Eduardo VII.

Karlheinz BRANDENBURG
(1954-, alemán, p. 197)

Karlheinz Brandenburg estudió matemáticas e ingeniería eléctrica en la universidad. Las investigaciones que llevó a cabo llevaron a la invención del reproductor de mp3.

Wernher von BRAUN
(1912-1977, alemán, p. 102)

El interés de Wernher von Braun por los cohetes se despertó en su adolescencia, cuando leía libros de ciencia ficción. Durante la II Guerra Mundial desarrolló el V-2, un enorme cohete diseñado para transportar bombas. Después de la guerra, Von Braun diseñó cohetes espaciales en Estados Unidos.

Isambard Kingdom BRUNEL
(1806-1859, británico, p. 66)

Isambard Brunel fue un ingeniero que diseñó grandes barcos, ferrocarriles y puentes. El primero de estos últimos fue el puente colgante Clifton, en Bristol (Inglaterra), de 1830. También construyó el primer barco de vapor que cruzó el Atlántico, el *Great Western*, botado en 1838. Su gran barco de hierro, el *Great Britain*, de 1843, fue el precursor de los transatlánticos modernos.

Ole CHRISTIANSEN
(1891-1958, danés, p. 207)

Ole Christiansen era carpintero y hacía juguetes a mano. En 1949 inventó el LEGO. El nombre de su empresa, LEGO, une dos palabras danesas, «Leg godt», que significan «juega bien».

Sir Christopher Sydney COCKERELL
(1910-1999, inglés, p. 79)

En uno de sus intentos de diseñar un aerodeslizador, sir Christopher Cockerell metió una lata de comida para gatos en una de café y sopló aire con una aspiradora en el espacio entre ambas.

L. O. COLVIN
(desconocido, estadounidense, p. 20)

La máquina ordeñadora de Colvin tuvo mucho éxito, aunque la succión continua dañaba las ubres de las vacas.

Martin COOPER
(1928-, estadounidense, p. 183)

Martin Cooper inventó el teléfono móvil. La primera llamada que hizo andando

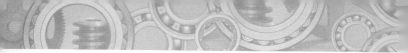

por las calles de Nueva York fue al teléfono fijo del investigador de una empresa rival.

Bartolomeo CRISTOFORI
(1655-1731, italiano, p. 194)
Bartolomeo Cristofori trabajó en su invento, el piano, cuando estaba al cuidado de la colección de instrumentos musicales perteneciente a un príncipe italiano.

Bell CROMPTON
(1845-1939, inglés, p. 163)
Además de inventar el radiador eléctrico con Herbert Dowsing, Bell Crompton está detrás de uno de los primeros planes de alumbrado público del mundo.

Leonardo DA VINCI
(1452-1519, italiano, p. 11)
Leonardo da Vinci fue un gran pintor, científico e inventor. Inventó armas, fue uno de los primeros que diseccionaron el cuerpo humano y comprendieron su funcionamiento, pensó en cómo desviar ríos y construir canales, y sugirió que la Tierra giraba alrededor del Sol cuando todo el mundo creía que era al revés.

Gottlieb DAIMLER
(1834-1900, alemán, p. 73)
Tras estudiar la obra de otros ingenieros, Gottlieb Daimler diseñó el primer motor de gasolina. Después, construyó la primera motocicleta de gasolina del mundo.

George DE MESTRAL
(1907-1990, suizo, p. 175)
A los 12 años diseñó y patentó un avión de juguete. De adulto, su invención del velcro lo convirtió en multimillonario.

Horace DE SAUSSURE
(1740-1799, suizo, p. 56)
Horace de Saussure era un montañero que descubrió 15 minerales y mejoró el termómetro y el anemómetro antes de inventar el primer horno solar.

Antonio DE TORRES
(1817-1892, español, p. 194)
Antonio de Torres aprendió a construir guitarras a los 33 años. Después diseñó la forma y estructura de la guitarra clásica moderna, pero vivió en la pobreza toda su vida.

John DEERE
(1804-1886, estadounidense, p. 17)
John Deere era un herrero que inventó el arado de acero al ver que los de hierro forjado no funcionaban bien en el duro suelo del lugar donde vivía.

Herbert DOWSING
(desconocido, inglés, p. 163)
Herbert Dowsing fue socio de Bell Crompton y un hombre de numerosos talentos, pionero en los ámbitos eléctrico, mecánico y científico.

Cornelius DREBBEL
(1572-1633, holandés, p. 128)
Cornelius Drebbel, inventor de la corte de Jacobo I de Inglaterra, no dejó notas ni dibujos de su invento más famoso, el primer submarino del mundo.

John DUNLOP
(1840-1921, escocés, p. 72)
John Dunlop inventó el neumático cuando el médico recomendó a su hijo montar en bici para curarse una gripe, y Dunlop hizo el triciclo del pequeño más cómodo equipándolo con cámaras hinchadas.

Peter DURAND
(c. 1810, inglés, p. 29)
En 1810 Peter Durand obtuvo la patente de su lata para conservar alimentos. Su invento salvó a muchos soldados y exploradores de morir de hambre.

George EASTMAN
(1854-1932, estadounidense, p. 198)
De joven, George Eastman era un ávido fotógrafo. Sus deseos de hacer que la fotografía fuera más fácil y sencilla para todo el mundo lo llevaron a inventar la primera cámara Kodak.

John ECKERT
(1919-1995, estadounidense, p. 186)
El ordenador ENIAC de John Eckert y John Mauchly era mil veces más rápido que otras calculadoras de la época. Diseñado para los cálculos militares del ejército de Estados Unidos, fue una herramienta vital para los científicos que trabajaban en la primera bomba de hidrógeno.

Thomas Alva EDISON
(1847-1931, estadounidense, p. 53, 196)
A los 10 años Thomas Edison ya tenía su propio laboratorio en casa. Después fundó una empresa, llamada «fábrica

e inventos», e inventó el
nógrafo, la bombilla eléctrica
un micrófono para instalar en
receptor del teléfono.

lbert EINSTEIN
879-1955, alemán, p. 11)

lbert Einstein formuló muchas
orías científicas; una de ellas
ra que una pequeña cantidad
e materia, como un átomo,
ontiene gran cantidad de
nergía. Descubrió la fórmula
natemática que describe cuánta
nergía puede generar un trozo
e materia, y eso fue para los
científicos la llave de la energía
nuclear.

Rune ELMQVIST
1906-1996, sueco, p. 142)

Rune Elmqvist estudió
medicina antes de convertirse
en inventor. Desarrolló la
forma de registrar los latidos
del corazón mediante
electrocardiograma, así como el
primer marcapasos implantable.

Gabriel FAHRENHEIT
(1686-1736, alemán, p. 132)

Gabriel Fahrenheit desarrolló
la graduación de sus precisos
termómetros considerando la
temperatura más baja que pudo
encontrar en el momento como
0 °F y la temperatura corporal
de un caballo sano como 100 °F.

Michael FARADAY
(1791-1867, inglés, p. 52)

Michael Faraday sabía que
un imán colgando de un hilo
giraba al colocar cerca una
bobina de hilo conectada a una
pila, y en 1831 intentó hacerlo
al revés. Moviendo un imán a
través de una espiral de hilo de

cobre, generó corriente eléctrica
en el cable. Fue el primer
generador eléctrico.

Reginald FESSENDEN
(1866-1932, canadiense, p. 184)

El ingeniero Reginald Fessenden
se convirtió en la primera
persona que transmitió sonido
mediante ondas de radio.
Su primera emisión fue un
programa musical en la
Nochebuena de 1906.

Adolf FICK
(1829-1901, alemán, p. 139)

Adolf Fick probó las lentes de
contacto que inventó en conejos
y después consigo mismo antes
de buscar voluntarios.

Alva J. FISHER
(1862-1947, estadounidense, p. 164)

Alva Fisher era ingeniero y vivía
en Chicago (Estados Unidos)
cuando patentó la lavadora que
le haría millonario.

Alexander FLEMING
(1881-1955, escocés, p. 137)

Durante la I Guerra Mundial
Alexander Fleming vio que los
soldados sufrían infecciones y
empezó a estudiar las bacterias
en su laboratorio. Comprobó
que un hongo que crecía
alrededor de ciertas bacterias
las mataba, y extrajo de él
una sustancia que acababa
con muchos tipos distintos de
bacterias. La llamó penicilina.

Henry FORD
(1863-1947, estadounidense, p. 66, 74)

El mecánico Henry Ford
construyó su primer coche a la
edad de 30 años y fundó la Ford
Motor Company en 1903.

Para que sus automóviles
estuvieran al alcance de todos,
se construían en una cadena de
montaje y solo de un color. Se
cuenta que dijo: «Está disponible
en cualquier color, siempre que
sea el negro».

Enrico FORLANINI
(1848-1930, italiano, p. 79)

El inventor Enrico Forlanini
estaba apasionado por el diseño
de nuevos vehículos y durante
su vida trabajó en diferentes
helicópteros y otras aeronaves,
globos e hidrodeslizadores.

Benjamin FRANKLIN
(1706-1790, estadounidense, p. 139)

La curiosidad de Benjamin
Franklin lo llevó a inventar
muchas cosas. Su experimento
más famoso y arriesgado fue
hacer volar una cometa en una
tormenta para demostrar que
los rayos eran una gigantesca
chispa eléctrica. Una de esas
chispas, como un pequeño rayo,
saltó del metal a la cuerda
mojada. Después, inventó
el pararrayos para proteger
edificios cuando hay tormenta.

John FROEHLICH
(1849-1933, estadounidense, p. 18)

John Froehlich era un herrero de
Iowa. Su tractor de gasolina fue
el primero que podía ir hacia
delante y hacia atrás.

Galileo GALILEI
(1564-1642, italiano, p. 100, 132)

Galileo Galilei inventó muchas
cosas durante su vida, como
el péndulo que durante siglos
reguló los relojes, un primitivo
termómetro, una revolucionaria
bomba de agua, una brújula

militar que podía ayudar a apuntar los cañones con precisión y una báscula especial que pesaba los objetos en el aire o en el agua. Pero sus mayores logros fueron sus teorías de física y sus descubrimientos sobre la Tierra y el sistema solar. Fabricó un telescopio y con él observó el firmamento.

Henri GIFFARD
(1825-1882, francés, p. 83)
Henri Giffard, ingeniero, empezó a experimentar con globos dirigibles en la década de 1850. En 1852 lanzó su primera aeronave controlable. Con el dinero que ganó con su invento sufragó otros proyectos, como aeronaves de vapor.

Robert GODDARD
(1882-1945, estadounidense, p. 102)
Robert Goddard adoraba los fuegos artificiales. Pasó más de 20 años experimentando con cohetes que fallaban sin cesar hasta que, en 1926, fabricó uno con combustible líquido que se elevó en el aire. Se burlaron de él porque no creía que los cohetes podrían llegar a la luna, pero después de su muerte sus teorías sirvieron para construir el cohete que llevó a los primeros estadounidenses al espacio.

Thomas GODFREY
(1704-1749, estadounidense, p. 90)
Thomas Godfrey aprendió a leer solo para leer libros de ciencia. Cuando inventó el cuadrante, un útil de navegación, trabajaba de cristalero.

George H. R. GOSMAN
(desconocida, estadounidense, p. 141)
El capitán George Gosman y su compañero el teniente Albert Rhodes construyeron de su bolsillo la primera ambulancia aérea del mundo en Fort Barrancas (Florida) en 1910. Se estrelló en su vuelo de prueba.

Johann GUTENBERG
(1400-1468, alemán, p. 180)
Su destreza como herrero ayudó a Gutenberg a fundir los moldes de metal para los tipos de su imprenta. Su publicación más conocida fue la Biblia de Gutenberg, de la que imprimió 300 copias.

William HADAWAY
(desconocida, estadounidense, p. 167)
En 1896 William Hadaway obtuvo la primera patente de una estufa eléctrica. Después, inventó la tostadora eléctrica.

John HADLEY
(1682-1744, inglés, p. 90)
El sextante de John Hadley permitió a navegantes y exploradores determinar su posición midiendo la altura del Sol o las estrellas sobre el horizonte.

Otto HAHN
(1879-1968, alemán, p. 54)
El descubrimiento de Otto Hahn con Lise Meitner de la fisión nuclear comportó la fabricación de las bombas nucleares. Pero después de la II Guerra Mundial Hahn se convirtió en detractor de las armas nucleares.

James HARGREAVES
(1720-1778, inglés, p. 62)
No siempre se mira a los inventores con buena cara. Temerosos de que la nueva hiladora de James Hargreaves los dejara sin trabajo, los trabajadores entraron en su casa y destrozaron las máquinas.

Sir John HARINGTON
(1561-1612, inglés, p. 160)
Sir John Harington era miembro de la corte real de Isabel I pero, como muchos inventores, se adelantó a su tiempo. Su idea del primer inodoro con cisterna de Gran Bretaña no sería aceptada por el público hasta 250 años más tarde.

John HARRISON
(1693-1796, inglés, p. 152)
John Harrison era carpintero y desarrollaba sus ideas en su tiempo libre, construyendo y reparando relojes. Se haría famoso por sus relojes marinos de precisión y por los de pulsera.

John HARWOOD
(1893-1964, inglés, p. 155)
John Harwood era relojero cuando empezó a trabajar en un nuevo y fiable reloj de pulsera con un mecanismo automático de cuerda que cabía en la carcasa.

Ernst HEINKEL
(1888-1958, alemán, p. 86)
La fascinación de Ernst Heinkel por las aeronaves lo llevó a interesarse por la aviación. Desarrolló varios aviones, e incluso una catapulta para lanzar aviones correo desde barcos.

Peter HENLEIN

(1480-1542, alemán, p. 154)

Peter Henlein era un herrero
e Núremberg (Alemania). Su
invento, el primer reloj portátil,
se conoció como el huevo de
Núremberg por su forma.

Joseph HENRY

(1797-1878, estadounidense, p. 182)

Joseph Henry fue un científico
e inventor cuyos trabajos en
electricidad y magnetismo
dieron lugar a la invención del
telégrafo, el motor eléctrico y
el teléfono.

Rowland HILL

(1795-1879, inglés, p. 188)

Rowland Hill era profesor de
matemáticas cuando tuvo la
idea de los sellos de correos. Fue
nombrado caballero por la reina
Victoria por inventar el primer
servicio postal del mundo.

John P. HOLLAND

(1841-1914, irlandés, p. 128)

John Holland se trasladó a
Estados Unidos a los 32 años.
Trabajó de forma intermitente
con la marina estadounidense
hasta perfeccionar su diseño de
un submarino que navegaba por
encima y por debajo del agua.

Robert HOOKE

(1635-1703, inglés, p. 134)

Robert Hooke inventó el
microscopio compuesto. Temía
tanto que otros científicos le
robaran las ideas que solía
escribir sus notas en código.

Edgar Purnell HOOLEY

(1860-fecha desconocida, inglés, p. 38)

Edgar Hooley tuvo la idea que
llevó a la invención del asfalto
cuando vio lo liso que había
quedado un tramo de carretera
en el que había caído un barril
de alquitrán y después se había
esparcido grava para que no
ensuciara.

Christiaan HUYGENS

(1629-1695, holandés, p. 152, 154)

A Christiaan Huygens,
brillante matemático desde niño,
se le daba bien inventar cosas.
Además de mejorar el telescopio
y construir un reloj de péndulo,
sugirió que la luz está formada
de ondas, teoría que se demostró
150 años más tarde.

Edward JENNER

(1749-1823, inglés, p. 136)

Edward Jenner era cirujano del
ejército antes de establecerse
como médico rural. Sus
investigaciones sobre los
virus llevaron a la invención
de la vacuna. En la época se
ridiculizó su idea e incluso la
Iglesia proclamó que no se
debía inyectar a las personas
sustancias animales.

William le Baron JENNEY

(1832-1907, estadounidense, p. 36)

William Jenney proyectó fuertes
durante la Guerra de Secesión y
ayudó a planificar los sistemas
de carreteras y ferrocarriles
de Chicago antes de concebir
los primeros rascacielos con
estructura de acero.

Steve JOBS

(1955-, estadounidense, p. 186)

Steve Jobs fue cofundador de
la empresa Apple Computers
en 1976, y de los estudios de
animación Pixar en 1986.

Frederick JONES

(1893-1961, estadounidense, p. 71)

Aunque es más conocido
por sus sistemas de refrigeración
para trenes y camiones,
Frederick Jones patentó más de
60 inventos.

Whitcomb JUDSON

(1836-1909, estadounidense, p. 174)

Cuando Whitcomb Judson
llevó su «pasador de cierre» a
la Exposición Internacional de
1893, lo ignoraron. Después
de su muerte se modificó para
convertirlo en la cremallera.

John KAY

(1704-1780, inglés, p. 62)

En 1753 la casa de John Kay fue
atacada por trabajadores textiles
que temían que sus máquinas
de hilar destruyeran su medio
de vida. Huyó a Francia, donde
murió en la pobreza.

Clarence KEMP

*(fechas desconocidas, estadounidense,
p. 57)*

Clarence Kemp vendió su primer
calentador solar de agua a
maridos cuyas esposas pasaban
el verano fuera para evitarles
tener que encender ellos solos
la caldera de gas. Su invento fue
tan popular que en siete años
había uno en un tercio de las
casas de California.

René LAËNNEC

(1781-1826, francés, p. 132)

René Laënnec era médico e
inventó el estetoscopio para
escuchar el pecho de los
pacientes y detectar problemas
pulmonares. Al estudiar la
tuberculosis, contrajo la
enfermedad. Murió con 45 años.

Paul LANGEVIN
(1872-1946, francés, p. 94)
Paul Langevin, científico que estudió el magnetismo, experimentó con ultrasonidos para localizar icebergs cuando se hundió el *Titanic*, en 1912. Durante la I Guerra Mundial se usaron para detectar submarinos.

Baron Dominique-Jean LARREY
(1766-1842, francés, p. 140)
Por sus cuidados médicos a soldados heridos y su invención de la ambulancia tirada por caballos, Napoleón dijo de él que era el hombre más encomiable que había conocido.

Hugh LE CAINE
(1914-1977, canadiense, p. 195)
Estudió la física atómica y nuclear y trabajó en los primeros sistemas de radar. Su interés por la música electrónica lo llevó a inventar el sintetizador.

Hans LIPPERSHEY
(1570-1619, holandés, p. 100)
Se dice que los hijos de este fabricante de gafas descubrieron su invento (el telescopio) jugando con lentes defectuosas en su taller.

Joseph LISTER
(1827-1912, inglés, p. 146)
El cirujano Joseph Lister inventó métodos de esterilización porque le horrorizaba el número de personas que morían después de ser operadas por cirujanos con las manos sucias.

Auguste y Louis LUMIÈRE
(1862-1954, franceses, p. 200)
Cuando su padre fotógrafo le habló a Auguste del quinetoscopio (un tambor giratorio que mostraba imágenes en movimiento), los dos hermanos se pusieron a buscar la manera de proyectar imágenes en movimiento en una pantalla y nació el cine.

Tsai LUN
(c. 50-118, chino, p. 178)
Tsai Lun tuvo la idea para inventar el papel al ver cómo las avispas hacían sus nidos masticando madera y moldeándola en finas láminas.

Charles MACINTOSH
(1766-1843, escocés, p. 174)
Uno de los primeros inventos de Charles Macintosh fue un polvo blanqueador, y creó varios inventos más antes de obtener el tejido impermeable que le hizo famoso. En algunos países los chubasqueros reciben todavía su nombre en su honor.

Guglielmo MARCONI
(1874-1937, italiano, p. 184)
Guglielmo Marconi leyó un artículo sobre la posibilidad de utilizar ondas de radio para comunicarse sin cables y empezó a experimentar. La marina británica fue la primera que usó sus equipos de radio. Su invención le hizo ganar el Nobel de Física.

John MAUCHLY
(1907-1980, estadounidense, p. 186)
Después de inventar el ordenador digital, John Mauchly y su socio John Eckert fundaron la primera

empresa de ordenadores del mundo e inventaron los primeros lenguajes informáticos.

Hiram MAXIM
(1840-1916, estadounidense, p. 117)
Entre los muchos inventos de Hiram Maxim se cuentan una trampa para ratones que se rearma automáticamente, la pólvora sin humo y un recubrimiento para pizarras, aunque el más famoso es la ametralladora.

Wilhelm MAYBACH
(1846-1929, alemán, p. 73)
Wilhelm Maybach era un dotado diseñador de motores que trabajaba como ayudante de Gottlieb Daimler. Inventó el motor de combustión interna de la primera motocicleta.

Frank McNAMARA
(1917-1957, estadounidense, p. 170)
Frank McNamara pensó que su tarjeta de crédito sería una moda pasajera, por lo que vendió su participación en la empresa Diners Club y perdió la posibilidad de hacerse rico.

Gerardo MERCATOR
(1512-1594, flamenco, p. 91)
La habilidad como cartógrafo de Gerardo Mercator le dio fama eterna: se dio su nombre a un tipo de proyección, una forma de dibujar la superficie curva de la tierra sobre un papel plano.

Morris MICHTOM
(1870-1938, ruso-estadounidense, p. 206)
Cuando Morris Michtom inventó el osito de peluche, en 1903, su tienda se convirtió en una gran empresa que siguió vendiendo

juguetes infantiles hasta la década de 1980.

Étienne y Joseph MONTGOLFIER
(Joseph 1740-1810, Etienne 1745-1799, franceses, p. 82)

El primer experimento de los hermanos Mongolfier con un globo fue bajo techo: llenaron un sobre con aire caliente y se elevó hasta el techo. Un año después fabricaron un globo de aire caliente que transportó a dos personas en su primer vuelo.

Samuel MORSE
(1791-1872, estadounidense, p. 182)

Fue un artista que, para inventar el código Morse, se inspiró en una conversación sobre aparatos electromagnéticos que oyó a bordo de un barco.

Paul MÜLLER
(1899-1965, suizo, p. 24)

Este científico trabajó en tintes sintéticos antes de inventar el insecticida DDT, que tuvo un papel destacado en la erradicación de la mortal enfermedad de la malaria en varias partes del mundo.

William MURDOCH
(1754-1839, inglés, p. 49)

Sentado junto a la chimenea, William Murdoch puso polvo de carbón en su pipa y la acercó al fuego. Se formó gas de carbón, que ardió con gran brillo, y Murdoch supo que había inventado el alumbrado de gas.

Tsuneya NAKAMURA
(desconocido, japonés, p. 155)

Tsuneya Nakamura dirigió a un equipo de ingenieros que trabajaron en Seiko 10 años

para desarrollar el primer reloj de pulsera de cuarzo, que se vendió al público en 1969.

Thomas NEWCOMEN
(1663-1729, inglés, p. 50)

Su bomba de agua accionada por vapor infringió una patente de Thomas Savery, y tuvo que asociarse con él. La bomba fue un éxito pero Newcomen no se hizo rico.

Isaac NEWTON
(1642-1727, inglés, p. 100)

Isaac Newton demostró que cada fragmento de materia atrae por gravedad a los demás. Explicó los movimientos de las mareas, de la Luna en torno a la Tierra y de los planetas alrededor del Sol. Su obra sobre las fuerzas dio lugar a la unidad de fuerza, el newton, que recibió su nombre. Logró grandes avances en el estudio de la luz y en 1687 inventó el telescopio reflector.

Joseph NIÉPCE
(1765-1833, francés, p. 198)

Trabajó en un motor de combustión interna antes de experimentar con cámaras, a partir de 1816. Finalmente inventó una forma de obtener fotografías permanentes.

Ransom E. OLDS
(1864-1950, estadounidense, p. 66)

Ransom Olds construyó un carro a vapor con tres ruedas en 1887, un coche a vapor con cuatro en 1893 y un coche de gasolina en 1896. En 1899 fundó Olds Motor Works, que vendió el primer Oldsmobile en 1901.

J. Robert OPPENHEIMER
(1904-1967, estadounidense, p. 121)

Durante la II Guerra Mundial dirigió el proyecto del Gobierno de Estados Unidos para desarrollar la bomba atómica. La primera se probó en julio de 1945, tres semanas antes de que se lanzaran las bombas sobre las ciudades japonesas de Hiroshima y Nagasaki.

Elisha Graves OTIS
(1811-1861, estadounidense, p. 37)

Concibió la idea de un freno de seguridad para ascensores cuando trabajaba en una fábrica en Nueva York. Su primer freno fue para el montacargas con que se subían pesos a otros pisos.

Charles PARSONS
(1854-1931, angloirlandés, p. 51, 80)

Inventó la turbina de vapor. En 1884 fundó la Parsons Marine Steam Turbine Company para construir barcos de vapor. Fue nombrado caballero en 1911.

Louis PASTEUR
(1822-1895, francés, p. 21)

Louis Pasteur no era buen estudiante en el colegio, pero a los 20 años se hizo famoso por sus experimentos científicos. Descubrió que las bacterias causan las enfermedades e inventó la pasteurización para esterilizar la leche.

James RITTY
(1837-1918, estadounidense, p. 172)

Era dueño de un bar y, con ayuda de su hermano John, que era mecánico, inventó la caja registradora, la «Incorruptible».

Wilhelm RÖNTGEN
(1845-1923, alemán, p. 144)
Wilhelm Rontgen no sabía qué era su descubrimiento y lo llamó «rayos X». En 1901 recibió el Premio Nobel de Física por su descubrimiento.

Ernst RUSKA
(1906-1988, alemán, p. 135)
El ingeniero eléctrico Ernst Ruska creó las primeras lentes magnéticas para enviar haces de electrones. Después inventó el microscopio electrónico. Fue galardonado con el Premio Nobel de Física en 1986.

Åke SENNING
(1915-2000, sueco, p. 142)
El médico e investigador Åke Senning colocó el primer marcapasos del mundo en 1958, con la ayuda de un ingeniero, en un hospital universitario sueco.

James SHARP
(1790-1870, inglés, p. 167)
En 1834 James Sharp instaló un horno de gas experimental en su hogar, y después, en 1836, abrió una fábrica para vender distintas versiones de su invento.

Percy SHAW
(1890-1976, inglés, p. 39)
Percy Shaw se hizo rico con su invento de los ojos de gato, que se llamaron primero «tachuelas reflectantes». Consiguió una medalla OBE por su contribución a la seguridad vial.

Isaac SHOENBERG
(1880-1963, ruso, p. 202)
Isaac Shoenberg convenció a la empresa para la que trabajaba, EMI, para que financiara un proyecto de investigación sobre televisores. En 1932 su equipo británico consiguió un tubo de televisión que producía imágenes.

Christopher SHOLES
(1819-1890, estadounidense, p. 180)
Christopher Sholes, impresor de periódicos, inventó la máquina de escribir en 1868. Su diseño se basaba en una máquina para numerar páginas que había inventado antes.

Igor SIKORSKY
(1889-1972, ruso, p. 84)
Igor Sikorsky estudiaba ingeniería cuando vio en un periódico una foto de Orville Wright y su avión, lo que le inspiró para dedicarse a la aviación e inventar el helicóptero, en 1939.

John SMEATON
(1724-1792, inglés, p. 32)
John Smeaton inventó una forma mejorada de hormigón cuando estaba construyendo el faro de Eddystone frente a la costa de South Devon (Inglaterra). El faro se mantuvo en pie cien años antes de ser desmontado y trasladado a tierra en Plymouth.

Percy SPENCER
(1894-1970, estadounidense, p. 166)
Percy Spencer, inventor del horno microondas, era un hombre curioso e ingenioso que registró más de 150 patentes durante toda su vida.

Elmer SPERRY
(1860-1930, estadounidense, p. 91)
En 1880 Elmer Sperry fundó una empresa para hacer las dinamos eléctricas y lámparas de arco que había inventado en su adolescencia. Después fundaría siete empresas más para fabricar otros inventos, como la brújula giroscópica.

John STARLEY
(1854-1901, inglés, p. 72)
Era sobrino de James Starley, inventor de uno de los primeros velocípedos. El diseño básico de la bicicleta de seguridad de John perdura en la actualidad.

George STEPHENSON
(1781-1848, inglés, p. 76)
George Stephenson aprendió a leer él solo y pasó de alimentar con carbón las locomotoras de vapor a construirlas e inventarlas. Su locomotora de vapor *Locomotion* arrastró el primer tren de pasajeros del mundo.

Fritz STRASSMANN
(1902-1980, alemán, p. 54)
El químico Fritz Strassman ayudó a descubrir la fisión nuclear, que hizo posible el uso de la energía nuclear.

Gideon SUNDBACK
(1880-1954, sueco nacionalizado canadiense, p. 174)
El invento de Gideon Sundback, la cremallera, se basaba en el trabajo de otros ingenieros. Recibió una patente en 1917 con el nombre de «cierre separable».

Ray TOMLINSON
(1941-, estadounidense, p. 189)
Cuando Ray Tomlinson inventó su sistema de mensajería electrónica, no se imaginaba lo importante que llegaría a ser. Tomlinson ideó el símbolo de la arroba «@».

Anton VAN LEEUWENHOEK
(1632-1723, holandés, p. 134)
El microscopio se consideraba un juguete hasta que Anton van Leeuwenhoek lo utilizó para estudiar las fibras en su tienda de telas. Después, lo empleó para estudiar seres vivos y fue el primer ser humano que vio la sangre circulando por los diminutos vasos sanguíneos llamados capilares.

Alfred VAIL
(1807-1859, estadounidense, p. 182)
Alfred Vail, inventor, ayudó a Samuel Morse a desarrollar el telégrafo y su código.

Hermann VON HELMHOLTZ
(1821-1894, alemán, p. 138)
Hermann von Helmholtz influyó en varios inventos sobre sonido y electromagnetismo. Inventó el oftalmoscopio para examinar el interior del ojo humano.

Alessandro VOLTA
(1745-1827, italiano, p. 52)
Alessandro Volta inventó la pila eléctrica en 1800. En 1881 se dio su nombre al voltio (la unidad básica de tensión eléctrica) en su honor.

Ezra WARNER
(desconocidas, estadounidense, p. 29)
El abrelatas de Ezra Warner, inventado en 1858, tenía una cuchilla afilada para perforar la tapa y una sierra para cortarla. Era demasiado peligroso usarlo en casa, por lo que los tenderos abrían las latas antes de que los clientes se las llevaran.

Robert Alexander WATSON-WATT
(1892-1973, Scottish, p. 92)
Robert Watson-Watt era meteorólogo y vio que las tormentas producían chasquidos en la radio. En 1935 inventó la forma de reflejar ondas en un objeto, como un avión, para averiguar a qué distancia estaba y en qué dirección volaba. Había inventado el primer sistema de radar (detección y medición de distancias por radio).

James WATT
(1736-1819, escocés, p. 50)
James Watt recibió un modelo del motor de vapor de Newcomen para arreglarlo y decidió que podía hacer una versión más eficiente. El motor de vapor mejorado de Watt transformó la industria textil y minera.

Horace WELLS
(1815-1848, estadounidense, p. 146)
Horace Wells era un dentista al que se le ocurrió la idea del anestésico al asistir con su esposa a una demostración del gas de la risa (o hilarante) realizada por un circo itinerante.

Robert WHITEHEAD
(1823-1905, inglés, p. 129)
Robert Whitehead y su hijo estaban trabajando en nuevas armas para barcos de guerra cuando concibieron el diseño del primer torpedo autopropulsado, hacia 1850.

Frank WHITTLE
(1907-1996, inglés, p. 86)
Frank Whittle era piloto y redactó sus primeras notas sobre motores a reacción cuando tenía 21 años. La falta de interés del Ministerio del Aire británico impidió que pudiera desarrollar el primer motor a reacción durante mucho tiempo. Voló por primera vez en 1941.

Steve WOZNIAK
(1950-, estadounidense, p. 186)
Steve Wozniak creó su propia emisora de radio a los 11 años y en la adolescencia fabricó un ordenador en el garaje. Después sería cofundador de Apple Computer Company con su amigo Steve Jobs.

WRIGHT hermanos
(Orville 1871-1948, Wilbur 1867-1912, estadounidenses, p. 86)
Los hermanos Wright aprendieron por sí solos todos los conocimientos de mecánica necesarios para abrir un taller de bicicletas. Después de probar el vuelo sin motor, decidieron construir una bicicleta con alas y un motor que moviera la hélice. Fueron los primeros en desarrollar con éxito un avión.

Vladimir ZWORYKIN
(1889-1982, ruso, p. 202)
Este científico inventó el tubo de rayos catódicos que produce la imagen en el televisor. Pero no era muy positivo sobre su invento y dijo: «Nunca permitiría que mis propios hijos lo vieran».

ÍNDICE ANALÍTICO

A

abrelatas 29
acero 33, 36, 40, 123, 129
acorazados 126-127
acrílico 175
acueductos 42
aerodeslizador 79
agricultura 14-29
    agricultura ecológica 25
alimentos transgénicos 26-27
alumbrado
    alumbrado de gas 53
    alumbrado eléctrico 49
aluminio 65
alunizaje 106
ambulancia aérea 141
ambulancias 140-141
ametralladoras 117, 122, 123, 124
anestésicos 146
antibióticos 137
anticuerpos 136
antisépticos 146
aparatos de fax 189
apisonadoras 38
arados 16-17, 18
arco largo .114
arcos y flechas 114-115
Arkwright, Richard 63, 208
armadura 118-119
armas 112-129
aro y palo .206
Arquímedes 10, 23, 208
ascensores 37
asfalto 38
asistente personal digital (PDA) 179
aspiradoras 10, 168
astrolabio 90
astronautas 106, 107, 108, 109
átomos .54, 55
autobuses 71
autoedición 181
autopistas 39
aviones 86-87
    ambulancias aéreas 141

aviones caza 124, 125
aviones de despegue vertical 87
aviones de guerra 124-125
aviones de reacción 86-87, 124
aviones invisibles 125
aviones supersónicos 87
avionetas fumigadoras 24-25
biplanos 124
bombarderos 124, 125
control del tráfico aéreo 93
jumbos 87
vehículos aéreos no tripulados
    (UAV) 125
véase también helicópteros;
    aeroplanos; nave espacial
azada 16

B

Babbage, Charles 186, 208
bacterias 28, 136, 137
Baekeland, Leo 64, 208
Bain, Alexander 153, 208
Baird, John Logie 202, 208
ballestas 115
balsas 78
banda ancha 191
baños 160
baquelita 208
barcazas 42
barcos de guerra 126-127
barcos de vapor 51, 80
barcos de vela 80, 126
barcos 80-81, 93, 94, 95
    acorazados 126-127
    barcos de guerra 126-127
    barcos de vapor 51, 80
    barcos de vela 80, 126
    cargueros 43
    cruceros .81
    dragaminas 127
    ferries de pasajeros 81
    portaaviones 127
    superpetroleros 81
    vapores de paletas 80

véase también botes
barras de combustible 55
basura espacial 104
Baylis, Trevor 184, 208
Becquerel, Alexandre-Edmond 57,
    208
Bell, Alexander Graham 182, 208
Benz, Karl 74, 208
Berliner, Emile 196, 209
Berners-Lee, Timothy 191, 209
Bezos, Jeff 173, 209
bicicletas 72-73
    bicicleta de seguridad 72
    caballito de madera 72
    motocicletas 73
    velocípedo 72
billetes de banco 171
biogás 58
biplanos 124
Birdseye, Clarence 29, 209
Biro, Georg and Ladislao 179, 209
boligoma 10
bolígrafos .179
bolsas médicas 133
bomba atómica 121
bombarderos 124, 125
bombas inteligentes 121
bombas 120-121, 125
bombillas 53
Booth, Cecil 168, 209
Brandenburg, Karlheinz 197, 209
Braun, Wernher von 102, 209
brújula giroscópica 91
brújulas 91
Brunel, Marc Isambard 66, 209
buldóceres 35, 38

C

caballito de madera 72
cadena de montaje 66
calefacción central 162
calefacción 162-163
calentadores solares 57
caligrafía 178

cámaras 198-199
   cámara digital 199
   cámara oscura 198
   cámara réflex 199
camiones
   camión de mercancías 70
   camiones refrigerados 71
Campbell, John 90
canales 42-43
   canal de Suez 43
canicas 206
canoas 78
cápsulas espaciales 106
carbón 53
carrete de película 198
carreteras 38-39
   autopistas 39
   calzadas romanas 38
   pasos a varios niveles 39
carrozas 70
cascanueces 10
catamaranes 78
catapultas 10, 114
cazas a reacción 124
cazas 83, 120
células de combustible 52
células fotovoltaicas 57
células solares 57
celuloide 64
centrales generadoras 53
   centrales nucleares 54
   plantas de energía mareomotriz . .59
   plantas de energía solar 56
cepillo de dientes 161
   cepillo de dientes eléctrico 161
cerillas 10
chalecos antibalas 118
Charlton, John P. 188
Christiansen, Ole 207, 209
chubasqueros 174
cigoñal 22
cines IMAX 3D 201
cines 200-201
cirugía 146-147
   cirugía endoscópica 147
   cirugía ocular por láser 139
   microcirugía 135
coches 74-75

coches a pilas 75
coches de aire 75
coches de carreras 75
coches de vapor 51
coches informatizados 12
coches solares 57
producción en cadena de montaje . .
   66
navegación GPS 97
Cockerell, sir Christopher Sydney . . 79,
   209
código Morse 182
códigos de barras 173
cohetes 102-104, 107
   cohetes espaciales 102, 103
Colvin, L. O. 20, 209
combustibles biomasa 58, 59
combustibles fósiles 48-49
comida congelada 28-29
comida para astronautas . . .29, 108
compras 172-173
comunicación 176-191
conservación de alimentos 28-29
construcción 30-43
control del tráfico aéreo 93
Cooper, Martin 183, 209
coracles 78
corazón artificial 143
correo electrónico 189
correo 188-189
cosechadora-trilladora 19
cota de malla 118
cremalleras 174
Cristofori, Bartolomeo 194, 209
Crompton, Bell 163, 210
cronómetros 152
cruceros 81
cuadrantes 211

D

Da Vinci, Leonardo 11, 210
Daimler, Gottlieb 73, 210
DDT 74
De Mestral, George 175, 210
De Saussure, Horace 56, 210
De Torres, Antonio 194, 210
Deere, John 17, 210
dentaduras 161

desmotadoras 62
detergentes 165
diálisis 143
didgeridoos 195
diésel 59
diligencias 70
dinero 170-171
Diners Club 171
discos (musicales) 196
discos de larga duración 196
discos de vídeo digital (DVD) 205
Dowsing, Herbert 163, 210
dragaminas 127
Drebbel, Cornelius 128, 210
duchas 161
Dunlop, John 72, 210
Durand, Peter 29, 210

E

Eastman, George 198, 210
Eckers, John 214
Eckert, John 186, 210
Edison, Thomas Alva 53, 196, 210
Einstein, Albert 11, 210
electricidad 11, 52-53, 54, 56, 57,
   58
   electricidad hidráulica 47
electrodomésticos 168-169
electromagnetismo 52, 212
Elmqvist, Rune 142, 210
embarcaciones 78-79
   aerodeslizador 79
   balsas 78
   canoas 78
   catamaranes 78
   coracles 78
   hidrodeslizador 79
   motos de agua 79
   véase también barcos
emisiones de televisión 202-203
energía 44-59
   energía del vapor 50-51, 66, 76
   energía mareomotriz 59
   energía nuclear 11, 54-55, 128
   energía solar 56-57, 105
   energías renovables 58-59
enlaces a varios niveles 39
enlatado 29

escáner
escáneres corporales 144-145
escáneres de resonancia magnética
(RM) 145
escáneres TAC. 144
por ultrasonidos 145
esclusas (canales). 43
escurridora .165
espacio 98-111
Estación Espacial Internacional. . . .109
estaciones espaciales 108-109
estetoscopio 132
estufas de gas 162
estufas eléctricas 163
éter 146
excavadoras 35

F

fabricación de queso. 21
fabricación 60-67
fábricas. 63
producción en masa. 66-67
Fahrenheit, Gabriel 132, 211
Faraday, Michael. 52, 211
ferries de pasajeros 81
ferrocarriles 76, 77
Fessenden, Reginald 184, 211
fibra óptica 191
Fick, Adolf. 139, 211
filamentos de carbono 53
Fisher, Alva J. 164, 211
fisión nuclear 54
Fleming, Alexander. 137, 211
fonógrafos .196
Ford, Henry. 66, 74, 211
Forlanini, Enrico 79, 211
forros polares 175
fotografía véase cámaras
Franklin, Benjamin 139, 211
frigoríficos congelador 167
Froehlich, John 18, 211
fuego. 10
fusiles 116-17
ametralladora. . .117, 122, 123, 124

G

gafas. 138-139
gafas progresivas 139
Gagarin, Yuri. 106

Galilei, Galileo 100, 132, 211
gas de la risa 146
gas 48
generadores 52, 53, 59
genes. 26, 27
Giffard, Henri 83, 211
globos aerostáticos 82-83, 120
Goddard, Robert 102, 211
Godfrey, Thomas. 90, 212
Gosman, George H.R.. . . . . . . .141, 212
GPS. 96-97
grabadoras de vídeo (VCR) 204
grabadoras de vídeo digital 204
gramófono .196
grandes almacenes 172
granjas eólicas 58
grúas 34
guitarras 194
Gutenberg, Johann 180, 212

H

Hadaway, William 166, 212
Hadley, John 90, 212
Hahn, Otto 54, 212
Hargreaves, James 62, 212
Harington, Sir John 160, 212
Harrison, John 152, 212
Harwood, John 155, 212
Heinkel, Ernst 86, 212
helicópteros. 84-85, 141
helio 83
Henlein, Peter 154, 212
Henry, Joseph 182, 212
hermanos Wright 86, 217
hidrodeslizador 79
hidrófonos .48
hidrógeno 83
hierro 17
hilar y tejer 62-63
Hill, Rowland 188, 212
hoces. 16
Holland, John P. 128, 212
Hooke, Robert. 134, 213
Hooley, Edgar Purnell 38, 213
hormigón 32, 40
hornos de gas 166
hornos eléctricos 166
hornos microondas 157, 166

hornos solares 56
hornos. 166
horno de ladrillos 167
horno microondas 157, 166
horno solar 56
Huygens, Christiaan 152, 154, 213

I

imprentas 180, 181
impresión 180-181
impresoras láser 181
incubadoras 143
indumentaria. 65, 174-175
industria pesquera. 95, 97
inodoro 160
insecticidas .24
instrumentos musicales 194-195
instrumentos de viento 195
instrumentos de viento madera. .195
internet 189, 190-191
banda ancha 191
compras en internet 173
correo electrónico. 189
WWW .191
inventores 208-217
inventos. 10-11
inventos del futuro 12-13
iPod. 197
irradiación 29
irrigación 22-23

J

jabón. .65, 165
Jenner, Edward 136, 213
Jenney, William le Baron. 36, 213
Jobs, Steve. 186, 213
Jones, Frederick. 71, 213
Judson, Whitcomb. 174, 213
juegos de mesa 207
juguetes de cuerda 206
juguetes inteligentes 207
juguetes y juegos 64, 206-207

K

Kamem, Dean. 11
Kay, John. 62, 213
Kemp, Clarence. 57, 213
kevlar 118

L

ladrillos 32
Laënnec, René 132, 213
lámparas de arco 216
Langevin, Paul 94, 213
lanzadera volante 62
lanzallamas 123
lanzamisiles 120
lanzas 114
Larrey, Baron Dominique-Jean . . 140,
213
láser 11, 173
latas
  aluminio .65
  estaño 29
lavadoras .164
lavavajillas 10, 165
LCD (pantalla de cristal líquido) . . .156
Le Caine, Hugh 195, 213
Lego 207
lentes de contacto 139
lentes
  gafas 139
  lentes de contacto 139
  microscopios 134
  telescopios 100
Leoni, Sigismund 162
libros 180
Lipman, Hyman L. 188
Lippershey, Hans 100, 213
Lister, Joseph 146, 214
Lumière, Auguste y Louis 200, 214
Lun, Tsai 178, 214
lycra 175

M

Macintosh, Charles 174, 214
magnetismo 52, 91
mapas y cartas 91, 94, 95
máquina de escribir 180
máquina de hilar 62
máquinas de ordeñar 20, 21
máquinas tuneladoras 34
marcapasos 142-143
marcas registradas 11
Marconi, Guglielmo 184, 214
máscaras de gas 119
materiales de construcción 32-33

Mauchly, John 186, 214
Maxim, Hiram 117, 214
Maybach, Wilhelm 73, 214
McNamara, Frank 171, 214
medicina 130-147
Mercator, Gerardo 91, 214
Michtom, Morris 206, 214
microbiología 11
microchips 11, 13
microcirugía 135
micrófonos 209
microscopios 134-135
  microscopio compuesto 134
  microscopio electrónico . . .134, 135
  microscopio electrónico
    de barrido 135
misiles . . .93, 102, 120, 121, 123, 129
  misiles cohete V-2 . . . . . . .102, 120
  misiles guiados 120
  misiles guiados por láser 121
módem 190, 191
molinos de agua 46
molinos de viento 46
monedas 170, 171
Monopoly .207
monstruo del lago Ness 95
Montgolfier, Étienne y Joseph . .82, 215
Morse, Samuel 182, 214
motocicletas 73
motor de combustión interna 74
motor de reacción 86
motores de tracción 18
motores de vapor 50, 63
motos de agua 79
Müller, Paul 24, 214
Murdoch, William 49, 214

N

náilon 175
Nakamura, Tsuneya 155, 215
nanotecnología 12
navegación 88-97
naves espaciales 106-107
  naves no tripuladas 110-111
neumáticos 19, 72
Newcomen, Thomas 50, 215
Newton, Isaac 100, 215
Niepce, Joseph 198, 215
norias 46, 63

O

oboes 195
octantes 90
oftalmoscopios 138
ojos de gato .39
Olds, Ransom E. 66, 215
Oppenheimer, J. Robert 121, 215
ordenadores 12, 13, 186-187, 189
  coches informatizados 12
  electrodomésticos informatizados 13
  ordenadores personales (PC) . . . 186,
    190
  portátiles 187
  superordenadores 186
  véase también internet
orugas 19, 35, 122
ositos de peluche 206
Otis, Elisha Graves 37, 215
otoscopios .133

P

palancas 10
palos de sombra 150
papel moneda 171
papel .178, 179
papiro 178
pararrayos .211
Parsons, Charles 51, 80, 215
Pasteur, Louis 21, 215
pasteurización 21
patentes 11
películas animadas por ordenador . . . .
  200
películas 200-201
penicilina 136, 137
peonzas 206
periscopios .129
personalización en masa 67
pesticidas y fertilizantes 24-25
petróleo .48, 81
pianos 194
pilas 52, 75
piñones 73
pinzas 10
pirámides 32, 34
pistolas eléctricas 117
pistolas 117
placas solares 57

planchas eléctricas 168
planchas 168
plástico 64, 65, 118, 175, 206
plataformas petroleras 49
plomada 34
plumas estilográficas 178
plumas 178
Plunkett, Roy. 10
poliéster .175
portaaviones 127
portátiles .187
predicciones meteorológicas. . .92, 105
presas .47, 59
    presas de hielo 121
    presa de las Tres Gargantas 47
producción en masa 66-67
puentes 40-41
    puente Akashi Kaikyo 41
    puente de arco 41
    puente de losas. 40
    puente en voladizo 41
    puente colgante 41

R

radar .92-93
radiación. 55, 121
radiadores. 163
radioactividad. 208
radios de cuerda 184
radios de transistores. 185
radios digitales 185
radios 184-185
    radio de cuerda 184
    radio de transistores 185
    radio digital 185
radiotelescopios 101
rascacielos 36-37
rastras 18
ratoneras. 10
rayos X 29, 144, 145
reciclado. 65
refrigeradores. 167
registradoras. 172
relojes 157
    clepsidra. 151
    cronómetros 152
    reloj atómico 157
    reloj automático 155

reloj automático de cuerda 155
reloj de arena 151
reloj de bolsillo. 154
reloj de cuarzo. 155
reloj de péndulo 152-153
reloj de sol 150
reloj de vela 151
reloj despertador. 153
reloj digital. 156-157
reloj eléctrico 153
reloj parlante 156
reloj portátil 154
relojes de pulsera 154, 155
reproductores de CD. 197
reproductores de mp3 197
residuos radioactivos. 55
Rey Alfredo 151, 208
Rhodes, Albert. 141, 211-212
riego de cultivos 22-23
rifles 116
riñón artificial 143
Ritty, James 172, 215
robots
    nanobots. 12
    robots de cocina. 169
    robots de juguete. 207
    robots domésticos. 13
    robots industriales. 67
Röntgen, Wilhelm 144, 215
rueca. 62
ruedas. 70
Ruska, Ernst. 135, 215

S

SanGalli, Franz 163
sanitarios. 140, 141
satélites 57, 104-105, 125, 157
    navegación por satélite . 96-97, 157
    satélites de comunicaciones 105
    satélites de navegación . . 105, 125,
    157
    satélites meteorológicos 105
    TV por satélite. 203
Scrabble. 207
secador de pelo. 169
Seely, Henry W.. 168
Segway 11
sellos de correos 188

sembradoras 18
Senning, Ake. 142, 216
servicio postal 188
sextantes .90
Sharp, James 166, 216
Shaw, Percy. 39, 216
Shivers, Joseph 175
Shoenberg, Isaac. 202, 216
Sholes, Christopher 180, 216
Sikorsky, Igor. 84, 216
sintetizadores 195
sismógrafos. 48
Slinky 10
Smeaton, John. 32, 216
sónar. 94-95
Sonda espacial Cassini-Huygens . .111
sondas espaciales 110-111
Sony Walkmans 197
Spencer, Percy. 166, 216
Sperry, Elmer 91, 216
Starley, John 72, 216
Stephenson, George 76, 216
Stonehenge 150
Strassmann, Fritz. 54, 216
submarinos 11, 94, 128-129
    submarinos nucleares 55, 128
suburbanos 77
sumergibles 128
Sundback, Gideon. 174, 216
supermercados 172
superordenadores 186
superpetroleros 81

T

tanques 122-123
tareas domésticas 13
tarjetas de crédito y débito 171
tarjetas inteligentes 171
tarjetas SIM 183
tarjetas .188
teatros de operaciones 146
teclados .195
teflón. 10
tejido impermeable. 174
tejidos artificiales 175
telares 62, 63
    telares de mano 62
teléfonos móviles 96, 183

teléfonos 182-183
   teléfonos móviles 96, 183
   videoteléfonos. 182
telégrafo eléctrico. 182
telégrafo 182
telescopios 100-101
   radiotelescopios 101
   telescopio Hubble 101
   telescopios reflectores. 100
televisión. 202-203
temporizador para huevos 151
tensiómetros 133
termómetros 132
terremotos. 48
tiempo. 148-157
tijeras 10
tocadiscos. 196
Tomlinson, Ray 189, 216
tomografía axial computerizada
   (TAC), escáneres 144
tornillo de Arquímedes 23
torpedos 129
torre Taipei 101 37
tostadoras 168
tractores 18-19
trajes de protección química. 119
trajes espaciales 106
trajes ignífugos 119
transbordador espacial 107
transpondedores 93, 95
transporte blindado (APC). 123
transporte 68-87
tranvías 71
tren maglev. 77
trenes monorraíl 76
trenes TGV 77
trenes 76-77
   suburbanos. 77
   trenes de vapor. 76
   trenes maglev 77
   trenes monorraíl. 77
   trenes TGV 77
triángulos 34
trombones 195
tubo de rayos catódicos 202
túnel del canal de la Mancha 34
tuneladoras 34
turbinas 55, 59

turbinas de vapor 51, 53, 80
turbinas de viento. 58
turborreactores 86, 124
TV de pantalla plana 203
TV digital 203

U

ultrasonidos. 213
uranio 54, 55

V

vacunas. 136
Vail, Alfred 182, 217
Van Leeuwenhoek, Anton . . .134, 216
vapores de palas. 80
vehículos aéreos no tripulados 125
vehículos de emergencia 140-141
velcro 175
velocípedo 72
velocípedos 72
viajes espaciales 13
videocámaras 205
videograbadoras 204
videojuegos. 208
videoteléfonos. 182
vidrio. 33, 37
virus 137
vitelas 178
Volta, Alessandro 52, 217
Von Helmholtz, Hermann. . . .138, 216

W

Warner, Ezra 29, 217
Watson-Watt, Robert Alexander . . . 92,
   217
Watt, James. 50, 217
Wells, Horace 146, 217
Whitehead, Robert 129, 217
Whitney, Eli. 62
Whittle, Frank 86, 217
Wozniak, Steve 186, 217
WWW. .191

Z

zampoña. 195
Zworykin, Vladimir 202, 217

CRÉDITOS

Ilustraciones proporcionadas a través de SGA Illustration Agency por Geoff Ball y James Alexander

Créditos de las fotografías:
ab. = abajo, a. = arriba, d. = derecha, i. = izquierda, c. = centro

Portada: a. Corbis ab. i. Getty ab. d. Corbis